John Grisham

Theo Boone

John Grisham

Theo Boone
und der unsichtbare Zeuge

Roman

Aus dem Amerikanischen von
Imke Walsh-Araya

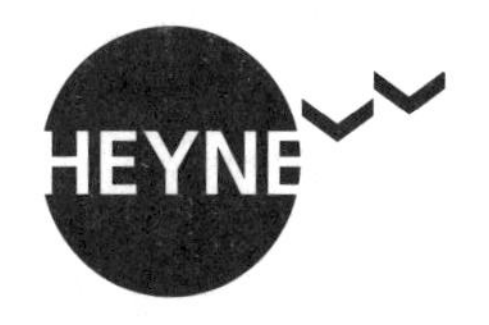

Die Originalausgabe erschien unter dem Titel
THEODORE BOONE: KID LAWYER
bei Dutton Children's Book, New York

Verlagsgruppe Random House FSC-DEU-0100
Das FSC®-zertifizierte Papier *Munken Pocket* für dieses Buch liefert Arctic Paper Munkedals AB, Schweden.

2. Auflage

Redaktion: Charlotte Lungstrass
Layout und Herstellung: Mariam En Nazer
Satz: Buch-Werkstatt GmbH, Bad Aibling
Druck und Bindung: GGP Media GmbH, Pößneck
Printed in Germany 2010

ISBN: 978-3-453-26000-9

www.heyne-fliegt.de

Eins

Theodore Boone war Einzelkind und frühstückte deswegen meist allein. Sein Vater, ein viel beschäftigter Anwalt, ging früh aus dem Haus, weil er sich jeden Morgen um sieben in einem Diner in der Innenstadt mit Freunden traf, um seinen Kaffee zu trinken und den neuesten Tratsch zu erfahren. Theos Mutter, selbst eine viel beschäftigte Anwältin, wollte seit zehn Jahren zehn Pfund abnehmen und hatte deswegen beschlossen, dass Kaffee und die Zeitung zum Frühstück reichten. Also saß Theo allein am Küchentisch, aß seine Cornflakes mit kalter Milch und trank seinen Orangensaft, ohne dabei die Uhr aus den Augen zu lassen. Bei den Boones gab es überall Uhren, wie es sich für eine gut organisierte Familie gehörte.

Ganz allein war er jedoch nicht. Der Hund neben seinem Stuhl leistete ihm Gesellschaft. Judge war eine undefinierbare Promenadenmischung, deren Alter und Herkunft wohl für immer ein Rätsel bleiben würden. Theo hatte ihn zwei Jahre zuvor mit seinem Auftritt vor Gericht in letzter Sekunde vor dem sicheren Tod gerettet, was ihm Judge nie vergessen würde. Genau wie Theo mochte er am liebsten Cheerios mit Vollmilch – bloß nicht mit fettarmer Milch –, und so frühstückten sie jeden Morgen gemeinsam schweigend.

Um acht wusch Theo das Geschirr im Spülbecken aus, stellte Milch und Saft in den Kühlschrank zurück, ging ins Fernsehzimmer und küsste seine Mutter auf die Wange.

»Ich muss los«, sagte er.

»Hast du Geld fürs Mittagessen?«, fragte sie – eine Frage, die sie ihm fünfmal pro Woche stellte.

»Wie immer.«

»Und die Hausaufgaben?«

»Alles unter Kontrolle, Mom.«

»Wann sehe ich dich?«

»Ich komme nach der Schule in die Kanzlei.« Theo ging nach der Schule immer in die Kanzlei, an jedem einzelnen Tag, aber Mrs. Boone fragte trotzdem jeden Morgen.

»Pass auf dich auf«, sagte sie. »Und vergiss nicht: Immer lächeln.«

Theo trug seit mittlerweile über zwei Jahren eine Zahnspange und sehnte sich verzweifelt danach, das Ding endlich loszuwerden. Da das aber noch dauerte, fühlte sich seine Mutter verpflichtet, ihn ständig daran zu erinnern, dass ein Lächeln Sonnenschein in die Welt brachte.

»Ich lächle doch, Mom.«

»Hab dich lieb, Teddy.«

»Ich dich auch.«

Theo, der immer noch lächelte, obwohl sie ihn

»Teddy« genannt hatte, schnallte sich schwungvoll seinen Rucksack auf den Rücken, kraulte Judge am Kopf und verabschiedete sich. Dann lief er durch die Küchentür nach draußen, schwang sich aufs Rad und flitzte durch die Mallard Lane, eine schmale Straße mit vielen Bäumen im ältesten Teil der Stadt. Er winkte Mr. Nunnery zu, der es sich bereits auf der Veranda gemütlich machte, von wo aus er den lieben langen Tag das bisschen Verkehr beobachtete, das sich ins Viertel verirrte. An Mrs. Goodloe, die am Straßenrand stand, sauste Theo wortlos vorbei, weil sie so gut wie taub war und auch so nicht mehr viel mitbekam. Dafür warf er ihr ein Lächeln zu, das sie jedoch nicht erwiderte, weil ihr Gebiss irgendwo im Haus lag.

Der Frühling hatte gerade erst begonnen, und die Luft war klar und kühl. Theo trat so kräftig in die Pedale, dass der Wind in seinem Gesicht brannte. Um 8.40 Uhr musste er im Klassenzimmer sein, und er hatte vor der Schule noch wichtige Dinge zu erledigen. Er nahm eine Abkürzung durch eine Seitenstraße, schoss durch eine Passage, wich ein paar Autos aus und überfuhr ein Stoppschild. Für ihn war es ein Heimspiel, die Strecke fuhr er jeden Tag. Vier Straßen weiter wurden die Wohnhäuser von Büros und Geschäften abgelöst.

Das Gericht war das größte Gebäude in der Innenstadt von Strattenburg, gefolgt von der Post und der Bücherei. Majestätisch thronte es auf der Nordseite der Main Street, auf halbem Weg zwischen einer Brücke über den Fluss und einem Park mit Pavillons,

Vogelbädern und Kriegerdenkmälern. Theo liebte das Gerichtsgebäude mit seiner Aura der Autorität, den mit wichtiger Miene umherhastenden Menschen und den Anschlagtafeln mit ihren bedeutungsschweren Mitteilungen und Sitzungsplänen. Vor allem aber liebte er die Sitzungssäle selbst. Für Sachen, die unter Ausschluss der Öffentlichkeit und ohne Geschworene verhandelt wurden, standen kleinere Räume zur Verfügung, aber es gab auch einen großen Saal im ersten Stock, in dem Staatsanwälte und Verteidiger miteinander rangen wie Gladiatoren und die Richter herrschten wie Könige.

Theo war dreizehn und hatte noch nicht entschieden, was er werden wollte. Manchmal träumte er davon, ein berühmter Prozessanwalt zu werden, der sich nur mit ganz großen Fällen befasste und jeden Prozess vor einem Geschworenengericht gewann. Dann wieder sah er sich als Richter, der für seine Weisheit und seinen Gerechtigkeitssinn berühmt war. Dazwischen schwankte er hin und her, wobei er praktisch täglich seine Meinung änderte.

An diesem Montagmorgen herrschte in der großen Eingangshalle bereits geschäftiges Treiben. Es sah aus, als wollten die Anwälte und ihre Mandanten möglichst früh in die neue Woche starten. Da sich am Aufzug schon eine Schlange gebildet hatte, sprintete Theo die beiden Treppen zum Ostflügel hinauf, wo das Familiengericht tagte. Seine Mutter war eine bekannte Scheidungsanwältin, deswegen kannte Theo diesen Teil des Gebäudes gut. Scheidungsverfahren wurden vom Einzelrichter ohne Geschworene entschieden, und da die meisten Richter bei solch sensiblen Angelegenheiten keine Zuschauer dabeihaben wollten, war der Sitzungssaal klein. An der Tür standen mit wichtiger Miene einige Anwälte zusammen, die sich offenbar nicht einigen konnten. Theo sah sich im Gang um, bog um eine Ecke – und hatte seine Freundin gefunden.

Sie saß allein auf einer alten Holzbank und wirkte sehr klein, verletzlich und nervös. Bei seinem Anblick lächelte sie und legte eine Hand vor den Mund. Theo setzte sich so dicht neben sie, dass sich ihre Knie berührten. Bei jedem anderen Mädchen hätte er mindestens einen halben Meter Abstand gehalten, um jeden zufälligen Körperkontakt zu vermeiden.

Aber April Finnemore war nicht einfach irgendein Mädchen. Sie waren mit vier Jahren zusammen in einen kirchlichen Kindergarten in der Nähe gekommen und dicke Freunde gewesen, seit er denken konnte. Eine Romanze war das nicht, dafür waren sie zu jung. Theo kannte keinen einzigen Jungen in seiner Klasse, der zugegeben hätte, eine Freundin zu haben. Ganz im Gegenteil. Mit Mädchen wollte keiner was zu tun haben. Und den Mädchen ging es genauso. Theo hatte zwar gehört, dass sich das gründlich ändern würde, aber vorstellen konnte er sich das nicht.

April war einfach eine Freundin, und zwar eine, die im Augenblick dringend Hilfe brauchte. Ihre Eltern ließen sich scheiden. Theo war nur froh, dass seine Mutter nichts damit zu tun hatte.

Keiner, der die Finnemores kannte, war von der Scheidung überrascht. Aprils Vater war ein exzentrischer Antiquitätenhändler und Schlagzeuger einer alten Rockband, die immer noch in Nachtclubs spielte und wochenlang auf Tournee ging. Ihre Mutter züchtete Ziegen und fuhr mit einem knallgelb lackierten umgebauten Leichenwagen in der Stadt herum, um ihren selbst gemachten Ziegenkäse zu verkaufen. Auf dem Beifahrersitz thronte dann ein uralter Klammeraffe mit grauen Schnurrhaaren und mampfte den Käse, der sich noch nie besonders gut verkauft hatte. Mr. Boone hatte die Familie einmal »unkonventionell« genannt, was für Theo »seltsam« hieß. Aprils Eltern waren bereits beide wegen Drogenbesitzes festgenommen worden, hatten jedoch nie im Gefängnis gesessen.

»Alles in Ordnung mit dir?«, fragte Theo.

»Nein«, sagte sie. »Ich hasse das hier.«

April hatte einen älteren Bruder namens August und eine ältere Schwester namens March, die sich beide abgesetzt hatten. August war am Tag nach seinem Highschool-Abschluss weggegangen. March hatte mit sechzehn die Schule abgebrochen und die Stadt verlassen, sodass ihre Eltern nur noch April schikanieren konnten. Das wusste Theo, weil April ihm alles erzählte. Ihr blieb nichts anderes übrig. Sie brauchte jemanden außerhalb ihrer Familie, dem sie sich anvertrauen konnte, und Theo war ein guter Zuhörer.

»Ich will bei keinem von denen leben«, sagte sie. Es war furchtbar, so über seine Eltern zu reden, aber

Theo hatte volles Verständnis. Er verachtete Aprils Eltern dafür, wie sie ihre Tochter behandelten. Er verachtete sie dafür, dass sie ihr Leben nicht in den Griff bekamen, ihre Tochter vernachlässigten und gemein zu ihr waren. Die Liste der Schandtaten war lang. Er wäre lieber weggelaufen, als bei solchen Leuten zu leben. In der ganzen Stadt kannte er kein einziges Kind, das je einen Fuß ins Haus der Finnemores gesetzt hatte.

Es war bereits der dritte Verhandlungstag, und April würde bald als Zeugin im Scheidungsverfahren aufgerufen werden. Dann würde der Richter die Schicksalsfrage stellen: »April, bei welchem Elternteil möchtest du leben?«

Sie hatte keine Ahnung, was sie antworten sollte. Stundenlang hatte sie die Frage mit Theo diskutiert, wusste aber immer noch nicht, was sie sagen sollte.

Theo war völlig unklar, warum diese Leute, die sich nie um April gekümmert hatten, überhaupt das Sorgerecht haben wollten. Ihm waren diesbezüglich Dinge zu Ohren gekommen, über die er mit niemandem sprach.

»Was wirst du antworten?«, fragte er.

»Ich sage dem Richter, dass ich zu meiner Tante Peg in Denver gehe.«

»Ich denke, die will dich nicht.«

»Stimmt.«

»Dann ist das keine Option.«

»Was soll ich bloß sagen, Theo?«

»Meine Mutter findet, du sollst deine Mutter nehmen. Ich weiß, dass sie nicht deine erste Wahl ist, aber du hast keine erste Wahl.«

»Der Richter entscheidet doch sowieso, wie er will.«

»Stimmt. Wenn du vierzehn wärst, wäre deine Entscheidung bindend, aber mit dreizehn muss der Richter nur deine Wünsche berücksichtigen. Meine Mutter sagt, der Vater bekommt praktisch nie das Sorgerecht. Nimm deine Mutter, dann bist du auf der sicheren Seite.«

April trug Jeans, Trekkingstiefel und einen blauen Pulli. Sie kleidete sich selten mädchenhaft, sah aber trotzdem nie wie ein Junge aus.

»Danke, Theo«, sagte sie.

»Ich würde gern dableiben.«

»Und ich würde gern zur Schule gehen.«

Beide lachten gezwungen.

»Ich denk an dich. Du schaffst das.«

»Danke, Theo.«

Theos Lieblingsrichter war Richter Henry Gantry. Um zwanzig nach acht betrat er das Vorzimmer dieses bedeutenden Mannes.

»Guten Morgen, Theo«, sagte Mrs. Hardy, die gerade ihren Kaffee umrührte und ihre Arbeit vorbereitete.

»Guten Morgen, Mrs. Hardy.« Theo lächelte.

»Was verschafft uns die Ehre?«, erkundigte sie sich.

Theo schätzte Mrs. Hardy etwas jünger als seine Mutter und fand sie sehr hübsch. Von den Sekretärinnen am Gericht mochte er sie am liebsten. Seine bevorzugte Geschäftsstellenbeamtin war Jenny vom Familiengericht.

»Ich muss Richter Gantry sprechen«, erwiderte er. »Ist er da?«

»Ja, aber er ist sehr beschäftigt.«

»Bitte. Nur eine Minute.«

Sie nippte an ihrem Kaffee. »Hat das irgendwas mit dem großen Prozess morgen zu tun?«

»Ja, genau. Ich will mit meiner Schulklasse zum ersten Verhandlungstag kommen, aber das geht nur, wenn es genügend Sitzplätze gibt.«

»Das wird schwierig, Theo.« Mrs. Hardy schüttelte stirnrunzelnd den Kopf. »Der Saal wird überfüllt sein, da wird es eng mit den Sitzplätzen.«

»Kann ich den Richter sprechen?«

»Wie viele seid ihr in deiner Klasse?«

»Sechzehn. Ich dachte, vielleicht dürfen wir auf die Galerie.«

Immer noch die Stirn runzelnd, griff sie zum Telefon und drückte eine Taste. »Ja, Richter Gantry«, sagte sie nach einem Augenblick. »Theodore Boone ist hier und möchte Sie sprechen. Ich habe ihm schon gesagt, dass Sie viel zu tun haben.« Sie lauschte kurz und legte dann auf.

»Beeil dich!« Damit deutete sie auf die Tür zum Büro des Richters.

Sekunden später stand Theo vor dem größten Schreibtisch der Stadt, auf dem sich alle möglichen Papiere, Akten und Ordner stapelten – einem Schreibtisch, der die gewaltige Macht von Richter Henry Gantry widerspiegelte. Im Augenblick blickte der sehr ernst drein. Bestimmt hatte er nicht mehr gelächelt, seit Theo ihn bei der Arbeit gestört hatte. Im Gegensatz zu ihm lächelte Theo so angestrengt, dass das Metall von einem Ohr zum anderen blitzte.

»Du hast das Wort«, sagte Richter Gantry. Theo war oft dabei gewesen, wenn der Richter Staatsanwälten oder Verteidigern auf diese Weise das Wort erteilte. Immer wieder gerieten selbst kompetente Juristen unter dem strengen Blick von Richter Gantry ins Stottern. Obwohl er im Augenblick gar nicht so finster dreinsah und auch keine schwarze Robe trug, blieb er eine Respekt einflößende Erscheinung. Doch als sich Theo räusperte, entdeckte er ein unverkennbares Funkeln in den Augen seines Freundes.

»Wissen Sie, Richter Gantry, unser Sozialkundelehrer Mr. Mount meint, der Direktor würde uns den ganzen Tag freigeben, damit wir morgen zum ersten Verhandlungstag kommen können.« Theo legte eine Pause ein, holte tief Luft und rief sich ins Gedächtnis, dass ein erfolgreicher Prozessanwalt langsam, deutlich und voller Überzeugung sprechen musste. »Aber nur, wenn wir garantierte Sitzplätze haben. Ich dachte, wir könnten auf der Galerie sitzen.«

»Das hast du dir gedacht?«

»Ja, Sir.«

»Wie viele seid ihr?«

»Sechzehn und Mr. Mount.«

Der Richter griff nach einer Akte, öffnete sie und

fing an zu lesen, als hätte er Theo plötzlich vergessen, der in strammer Haltung vor seinem Schreibtisch stand. Theo wartete verlegen.

»Siebzehn Plätze, vordere Galerie links«, sagte der Richter nach fünfzehn Sekunden abrupt. »Ich gebe dem Gerichtsdiener Bescheid, dass er euch um zehn vor neun einweisen soll. Aber dass mir keine Klagen über euer Benehmen kommen!«

»Ganz bestimmt nicht, Sir.«

»Ich sorge dafür, dass Mrs. Hardy eine Mitteilung an euren Direktor schickt.«

»Danke!«

»Jetzt musst du aber gehen, Theo. Tut mir leid, dass ich so beschäftigt bin.«

»Macht nichts, Sir.«

Theo war schon unterwegs zur Tür, als der Richter ihn noch einmal ansprach: »Sag mal, Theo, hältst du Mr. Duffy für schuldig?«

Theo blieb stehen, drehte sich um und antwortete, ohne zu zögern. »Für Mr. Duffy gilt die Unschuldsvermutung.«

»Ist mir klar. Aber was ist deine persönliche Meinung?«

»Ich glaube, er war es.«

Der Richter nickte leicht, ließ sich aber nicht anmerken, ob er derselben Meinung war.

»Was ist mit Ihnen?«, fragte Theo.

Endlich lächelte Richter Gantry doch. »Ich bin ein fairer, unparteiischer Richter, Theo. Was Schuld oder Unschuld angeht, bin ich unvoreingenommen.«

»Habe ich mir gedacht, dass Sie das sagen würden.«

»Bis morgen.«

Theo öffnete die Tür einen Spaltbreit und schlüpfte hindurch.

Draußen hatte sich Mrs. Hardy mit strenger Miene und in die Hüften gestemmten Händen vor zwei aufgeregten Anwälten aufgebaut, die den Richter sprechen wollten. Alle drei verstummten, als Theo aus Richter Gantrys Büro kam. Im Vorübergehen lächelte er Mrs. Hardy zu.

»Danke!« Damit öffnete er die Tür und verschwand.

Zwei

Vom Gericht zur Schule brauchte Theo eigentlich fünfzehn Minuten – wenn er die Verkehrsregeln beachtete und sich von fremden Grundstücken fernhielt. Normalerweise tat er das auch, außer wenn er spät dran war. Jetzt raste er gegen die Fahrtrichtung durch die Market Street, fuhr direkt vor einem Auto auf den Bürgersteig und über einen Parkplatz, benutzte, wo immer möglich, die Gehwege, und flitzte in der Elm Street über ein Privatgrundstück zwischen zwei Häusern hindurch. Auf der Veranda hinter ihm ertönte wütendes Gebrüll, aber dann hatte er die Durchfahrt erreicht, die in den Lehrerparkplatz hinter seiner Schule mündete. Er sah auf die Uhr: neun Minuten. Nicht schlecht.

Er stellte sein Rad am Ständer an der Fahnenstange ab, schloss es mit einer Kette an und schwamm im Strom der Schüler mit, die gerade mit dem Bus gekommen waren. Es war 8.40 Uhr, und die Schulglocke klingelte, als er das Klassenzimmer betrat und Mr. Mount begrüßte, der nicht nur sein Sozialkunde-, sondern auch sein Klassenlehrer war.

»Ich habe eben mit Richter Gantry gesprochen.«

Theo blieb vor Mr. Mounts Schreibtisch stehen, der deutlich kleiner war als der eben im Gericht. Im Raum herrschte das übliche morgendliche Chaos. Alle sechzehn Jungen waren versammelt und blödelten, rauften und schubsten nach Kräften.

»Und?«

»Ich habe die Plätze für morgen früh.«

»Super. Gut gemacht, Theo.«

Mr. Mount rief die Schüler zur Ordnung, verlas die Anwesenheitsliste und schickte die Jungen zehn Minuten später, nach den Bekanntmachungen, zum Spanischunterricht von Madame Monique, der in einem anderen Raum im selben Gang stattfand. Unterwegs gab es ein paar unbeholfene Flirtversuche, als sich Mädchen unter die Gruppe mischten. Während des Unterrichts blieben die Geschlechter getrennt, weil die klugen Leute, die in der Stadt für Schulpolitik zuständig waren, das so beschlossen hatten. Für die unterrichtsfreien Zeiten gab es keine Beschränkungen.

Madame Monique war eine große, dunkle Frau aus Kamerun in Westafrika. Sie war drei Jahre zuvor nach Strattenburg gezogen, weil ihr Ehemann, der ebenfalls aus Kamerun stammte, eine Stelle am örtlichen College angenommen hatte, wo er Sprachen unterrichtete. Für eine amerikanische Middleschool war sie nicht gerade die typische Lehrerin. Als Kind in Afrika hatte sie Beti, ihren Stammesdialekt, gesprochen, aber auch Französisch und Englisch, die in Kamerun Amtssprachen waren. Ihr Vater war Arzt und hatte es sich daher leisten können, sie in der Schweiz auf ein

Internat zu schicken, wo sie Deutsch und Italienisch gelernt hatte. Ihr Spanisch hatte sie bei ihrem Studium in Madrid vervollkommnet. Im Augenblick arbeitete sie an ihren Russischkenntnissen, und auch Mandarin, die offizielle Sprache der Volksrepublik China, hatte sie bereits ins Auge gefasst. In ihrem Klassenzimmer hingen große, bunte Weltkarten, und ihre Schüler waren davon überzeugt, dass sie überall gewesen war, alles gesehen hatte und alle Sprachen sprach. *Die Welt ist groß*, sagte sie immer wieder, *und in anderen Ländern beherrschen die meisten Menschen mehr als eine Sprache.* Im Unterricht konzentrierte sie sich auf Spanisch, ermutigte die Schüler aber, sich auch mit anderen Sprachen zu befassen.

Theos Mutter hatte viele Jahre lang Spanisch gelernt und ihm schon im Vorschulalter wichtige Vokabeln und Ausdrücke beigebracht. Manche ihrer Mandanten stammten aus Mittelamerika, und wenn Theo ihnen in der Kanzlei begegnete, nutzte er die Gelegenheit, seine Sprachkenntnisse auszuprobieren. Das kam immer gut an.

Madame Monique meinte, er habe ein Ohr für Sprachen, was ihn motivierte, sich noch mehr anzustrengen.

Oft drängten die Schüler sie aus Neugier, etwas auf Deutsch oder Italienisch zu sagen. Das tat sie auch, aber zuerst ließ sie diese Schüler aufstehen und selbst etwas in den betreffenden Sprachen sagen. Dafür gab es Bonuspunkte, ein großer Ansporn. Die meisten Jungen in Theos Klasse kannten ein paar Dutzend

Wörter in verschiedenen Sprachen. Aaron, der eine spanische Mutter und einen deutschen Vater hatte, war mit Abstand der Sprachbegabteste. Aber Theo war fest entschlossen, es mit ihm aufzunehmen. Neben Sozialkunde war Spanisch sein Lieblingsfach, und Madame Monique mochte er fast so gern wie Mr. Mount.

Heute fiel es ihm jedoch schwer, sich zu konzentrieren. Sie lernten spanische Verben, schon an guten Tagen eine mühsame Angelegenheit, und Theo war mit seinen Gedanken woanders. Er sorgte sich um April, für die es ein harter Tag werden würde. Es musste furchtbar sein, sich zwischen seinen Eltern entscheiden zu müssen. Und als es ihm schließlich gelang, April aus seinen Gedanken zu verbannen, ging ihm der Mordprozess nicht aus dem Sinn. Morgen würde er die Eröffnungsplädoyers von Staatsanwaltschaft und Verteidigung hören. Er konnte es kaum erwarten.

Die meisten seiner Klassenkameraden träumten von Endspiel- oder Konzertkarten. Theo Boone lebte für die großen Prozesse.

Die zweite Stunde war Geometrie bei Miss Garman. Es folgte eine kurze Pause im Freien, und dann kehrten die Jungen in ihr Klassenzimmer zurück, zu Mr. Mount und der besten Stunde des Tages – das fand zumindest Theo. Mr. Mount war Mitte dreißig und hatte früher bei einer riesigen Kanzlei in einem Wolkenkratzer in Chicago als Anwalt gearbeitet. Sein Bruder war Anwalt. Sein Vater und sein Großvater waren Anwalt und Richter gewesen. Mr. Mount hatte jedoch irgendwann genug gehabt von den langen Arbeitstagen und dem enormen Druck und seinen Job gekündigt. Er hatte sein dickes Gehalt gegen eine Aufgabe eingetauscht, die ihm lohnender erschien. Er unterrichtete für sein Leben gern, und obwohl er sich immer noch als Jurist fühlte, fand er das Klassenzimmer viel wichtiger als den Gerichtssaal.

Weil er sich mit dem Thema Recht so gut auskannte, wurde in seinem Sozialkundeunterricht die meiste Zeit über historische und aktuelle Fälle und sogar fiktive Verfahren im Fernsehen gesprochen.

»Also gut, Männer«, begann er, als alle saßen und Ruhe eingekehrt war. Er bezeichnete die Jungen immer als »Männer«, was die Dreizehnjährigen als großes Kompliment empfanden. »Morgen seid ihr bitte spätestens um 8.15 Uhr hier. Wir fahren mit dem Bus zum Gericht, damit wir pünktlich auf unseren Plätzen sitzen. Es handelt sich um eine vom Direktorat genehmigte Exkursion, ihr habt also sonst keinen Unterricht. Nehmt Geld mit, damit wir im Pappy's Deli zu Mittag essen können. Noch Fragen?«

Die »Männer« hingen wie gebannt an seinen Lippen, die Aufregung stand ihnen ins Gesicht geschrieben.

»Was ist mit Rucksäcken?«, wollte einer wissen.

»Keine Rucksäcke«, erwiderte Mr. Mount. »In den Sitzungssaal dürft ihr nichts mitnehmen. Es wird strenge Sicherheitskontrollen geben. Immerhin ist es seit Langem der erste Mordprozess hier. Sonst noch Fragen?«

»Was sollen wir anziehen?«

Alle Blicke – einschließlich dem von Mr. Mount – wanderten zu Theo. Es war allgemein bekannt, dass Theo mehr Zeit im Gericht verbrachte als die meisten Anwälte.

»Sakko und Krawatte, Theo?«, fragte Mr. Mount.

»Nein, das ist nicht nötig. Wir können so gehen, wie wir sind.«

»Ausgezeichnet. Noch Fragen? Gut. Ich habe Theo gebeten, uns das Szenario morgen zu skizzieren. Würdest du uns bitte den Sitzungssaal und die wichtigsten Akteure beschreiben, damit wir wissen, was uns erwartet, Theo?«

Theo hatte seinen Laptop bereits an den Beamer angeschlossen. Jetzt stellte er sich vor die Klasse und drückte eine Taste, woraufhin auf dem digitalen Breitwand-Whiteboard eine große Grafik erschien.

»Das hier ist der Hauptsitzungssaal«, begann Theo mit seiner professionellsten Juristenstimme. Er hielt einen Laserpointer in der Hand und deutete mit dem roten Punkt auf die entsprechenden Bereiche des Diagramms. »Hier oben in der Mitte befindet sich der Richtertisch, von dem aus der Richter die Verhandlung leitet. Warum das Tisch heißt, weiß ich auch nicht so recht. Eigentlich ist es eher ein Podium. Aber bleiben wir bei Tisch. Der Richter heißt Henry Gantry.« Er drückte eine Taste, und ein großes offizielles Foto von Richter Gantry wurde eingeblendet. Schwarze

Robe, ernste Miene. Theo verkleinerte es und zog es zum Richtertisch. Als der Richter an seinem Platz war, fuhr er fort: »Richter Gantry ist seit über zwanzig Jahren Richter und befasst sich nur mit Strafverfahren. In seinen Verhandlungen herrscht strenge Disziplin, aber die meisten Anwälte mögen ihn.« Der Laserpointer wanderte in die Mitte des Sitzungssaals. »Hier sitzt die Verteidigung mit Mr. Duffy, der des Mordes angeklagt ist.« Theo drückte erneut eine Taste und rief ein Schwarz-Weiß-Foto auf, das er aus einer Zeitung kopiert hatte. »Das ist Mr. Duffy. Neunundvierzig, früherer Ehemann der verstorbenen Mrs. Duffy. Wie wir alle wissen, wird Mr. Duffy beschuldigt, seine Frau ermordet zu haben.« Er verkleinerte das Foto und zog es zum Tisch der Verteidigung. »Sein Anwalt ist Clifford Nance, wohl der beste Strafverteidiger in der Gegend.« Nance erschien in Farbe; er steckte in einem dunklen Anzug und lächelte verschlagen. Das graue, lockige Haar trug er lang. »Neben der Verteidigung hat die Anklage ihren Platz. Chefankläger ist Bezirksstaatsanwalt Jack Hogan.« Hogans Foto tauchte für ein paar Sekunden auf, bevor es verkleinert und zum Tisch neben dem der Verteidigung gezogen wurde.

»Wo hast du die Fotos her?«, erkundigte sich jemand.

»Die Anwaltskammer veröffentlicht jedes Jahr ein Verzeichnis aller Rechtsanwälte, Staatsanwälte und Richter«, erwiderte Theo.

»Stehst du da auch drin?« Ein paar seiner Mitschüler lachten kurz auf.

»Nein. An den Tischen von Anklage und Verteidigung sitzen noch weitere Staatsanwälte, Rechtsanwälte und Anwaltsassistenten. Da geht es normalerweise ziemlich eng zu. Hier drüben neben der Verteidigung sind die Geschworenenbänke. Die bestehen aus vierzehn Sitzen, zwölf für die Geschworenen und zwei für die Ersatzleute. In den meisten Bundesstaaten besteht die Jury nach wie vor aus zwölf Personen, aber es können auch weniger oder mehr sein. Unabhängig von der Zahl muss das Urteil einstimmig sein, zumindest bei Strafverfahren. Die Ersatzleute werden für den Fall benannt, dass einer der zwölf krank wird oder aus einem anderen Grund ausfällt. Die Geschworenen sind letzte Woche ausgewählt worden, davon bekommen wir also nichts mit. Ist auch ziemlich langweilig.« Der Laserpointer wanderte zu einem Punkt vor dem Richtertisch. »Hier sitzt die Gerichtsschreiberin an einer Maschine, einem sogenannten Stenografen. Sieht so ähnlich aus wie eine Schreibmaschine, funktioniert aber ganz anders. Ihre Aufgabe ist es, jedes Wort festzuhalten, das während der Verhandlung gesprochen wird. Das klingt unmöglich, aber bei ihr sieht es ganz einfach aus. Später erstellt sie ein sogenanntes Transkript, ein Protokoll für Verteidigung, Anklage und Richter, in dem alles aufgezeichnet ist. Manche Transkripte sind Tausende von Seiten lang.« Der Laserpointer bewegte sich erneut. »Hier, in der Nähe der Gerichtsschreiberin und praktisch unter dem Richtertisch, befindet sich der Zeugenstand. Dort nehmen die Zeugen Platz, nachdem sie vereidigt worden sind.«

»Wo sitzen wir?«

Der Laserpointer wanderte in die Mitte des Diagramms. »Das hier nennt sich ›*Bar*‹. Auch so eine komische Bezeichnung. Es handelt sich um ein Holzgeländer, das die Zuschauer vom eigentlichen Verhandlungsraum trennt. Normalerweise gibt es im Zuschauerraum mehr als genug Platz, aber nicht bei diesem Prozess.« Der Laserpointer wanderte zum hinteren Teil des Sitzungssaals. »Hier oben, hinter den letzten Reihen, befindet sich die Galerie mit drei langen Bänken. Da oben sitzen wir, aber keine Sorge: Von dort hört und sieht man alles.«

»Noch Fragen?«, erkundigte sich Mr. Mount.

Die Jungen fixierten die Grafik. »Wer fängt an?«, fragte einer.

Theo begann, auf und ab zu gehen. »Da die Beweislast beim Staat liegt, muss die Anklage ihre Argumente zuerst vortragen. Morgen früh wird der Staatsanwalt vor den Geschworenen stehen und sie direkt ansprechen. Das wird als Eröffnungsplädoyer bezeichnet. Er wird den Fall aus seiner Sicht schildern. Dann tut der Verteidiger dasselbe. Danach ruft die Anklage ihre Zeugen auf. Wie ihr wisst, gilt für Mr. Duffy die Unschuldsvermutung. Deswegen muss die Staatsanwaltschaft seine Schuld nachweisen, und zwar so, dass kein begründeter Zweifel möglich ist. Er plädiert auf ›nicht schuldig‹, was in der Praxis nicht oft vorkommt. Etwa achtzig Prozent der des Mordes Beschuldigten bekennen sich irgendwann schuldig, weil sie es nämlich sind. Gegen die übrigen zwanzig Prozent wird Anklage erhoben, und neunzig Prozent von ihnen werden verurteilt. Es kommt also nur selten vor, dass ein Angeklagter in einem Mordprozess für nicht schuldig befunden wird.«

»Mein Dad meint, er ist schuldig«, sagte Brian.

»Da ist er nicht der Einzige«, erwiderte Theo.

»Bei wie vielen Verhandlungen warst du dabei, Theo?«

»Keine Ahnung. Dutzenden.«

Da keiner der anderen fünfzehn je auch nur einen Sitzungssaal von innen gesehen hatte, konnten sie das kaum fassen.

»Falls ihr viel fernseht, dürft ihr nicht zu viel erwarten«, fuhr Theo fort. »Eine echte Verhandlung ist ganz anders und nicht halb so aufregend wie im Fernsehen. Es werden keine Zeugen aus dem Hut gezaubert, es gibt keine dramatischen Geständnisse, und die Verteidiger prügeln sich auch nicht mit den Staatsanwälten. Bei diesem Prozess gibt es keine Augenzeugen. Das bedeutet, dass die Anklage auf Indizienbeweisen beruht. Dieses Wort werdet ihr oft zu hören bekommen, vor allem von Mr. Clifford Nance, dem Verteidiger. Er wird darauf herumreiten, dass die Staatsanwaltschaft keine unmittelbaren Beweise hat und dass die Anklage nur auf Indizien beruht.«

»Was heißt das eigentlich?«, wollte einer wissen.

»Das bedeutet, dass es sich um mittelbare, nicht um unmittelbare Beweise handelt. Bist du zum Beispiel heute mit dem Rad zur Schule gefahren?«

»Ja.«

»Und hast du es am Fahrradständer an der Fahnenstange festgekettet?«

»Ja.«

»Wenn du also heute Nachmittag aus der Schule kommst, zum Fahrradständer gehst und feststellst, dass dein Rad weg und die Kette durchgeschnitten ist, liegt ein mittelbarer Beweis dafür vor, dass jemand dein Rad gestohlen hat. Keiner hat den Dieb gesehen, deswegen gibt es keinen unmittelbaren Beweis. Nehmen wir mal an, die Polizei findet dein Rad morgen in einer Pfandleihe in der Raleigh Street, einem Laden, der dafür bekannt ist, dass dort gestohlene Fahrräder verkauft werden. Der Eigentümer nennt der Polizei einen Namen, die ermittelt und stößt auf einen Typen, der schon früher Räder gestohlen hat. Dann hast du überzeugende mittelbare Beweise dafür, dass der Kerl dein Dieb ist. Keine unmittelbaren Beweise, sondern Indizienbeweise.«

Selbst Mr. Mount nickte dazu. Er leitete als Fachschaftsberater den Debattierkreis der achten Klasse, und sein Star war Theodore Boone – wie hätte es auch anders sein können. Er hatte nie einen Schüler gehabt, der so messerscharf argumentieren konnte.

»Danke, Theo«, sagte Mr. Mount. »Und danke, dass du uns die Plätze für morgen besorgt hast.«

»Keine Ursache«, erwiderte Theo voller Stolz und setzte sich.

Es war eine begabte Klasse an einer ausgezeichneten staatlichen Schule. Justin war mit Abstand der beste Sportler, wobei Brian der schnellere Schwimmer war. Ricardo schlug alle bei Golf und Tennis. Edward spielte Cello, Woody E-Gitarre, Darren Schlagzeug, Jarvis Trompete. Joey hatte den höchsten IQ und die besten Noten. Chase war der verrückte Professor, der ständig fast das Labor in die Luft sprengte. Aaron sprach Spanisch wie seine Mutter, Deutsch wie sein Vater und natürlich Englisch. Brandon trug vor der Schule Zeitungen aus, handelte online mit Wertpapieren und hatte fest vor, der erste Millionär der Gruppe zu werden.

Natürlich gab es auch zwei hoffnungslose Nerds und mindestens einen potenziellen Kriminellen.

Diese Klasse hatte sogar ihren eigenen Anwalt, was Mr. Mount noch nie erlebt hatte.

Drei

Die Kanzlei Boone & Boone hatte ihre Büroräume in einem umgebauten alten Wohnhaus in der Park Street, dreihundert Meter von der Main Street und zehn Gehminuten vom Gericht entfernt. In diesem Viertel gab es jede Menge Anwälte, und die Wohnhäuser in der Park Street beherbergten mittlerweile nur noch Geschäftsräume – Anwälte, Architekten, Steuerberater, Ingenieure und andere hatten sich dort niedergelassen.

Die Kanzlei bestand aus zwei Anwälten, Mr. und Mrs. Boone, die in jeder Hinsicht gleichberechtigte Partner waren. Mr. Boone, Theos Vater, war Anfang fünfzig, wirkte aber viel älter. Zumindest fand Theo das, obwohl er es wohlweislich für sich behielt. Sein Vorname war Woods, was in Theos Ohren wie ein Familienname klang. Tiger Woods, der Golfer. James Woods, der Schauspieler. Bisher war ihm noch kein anderes menschliches Wesen untergekommen, das den Vornamen Woods trug, weswegen er sich jedoch keine grauen Haare wachsen ließ. Er versuchte, sich nicht über Dinge aufzuregen, die er nicht ändern konnte.

Woods Boone. Manchmal sagte Theo den Namen

schnell vor sich hin, dann klang er wie *woodspoon*. Er hatte nachgesehen: *woodspoon* war eigentlich kein Wort, hätte aber gut eines sein können. Ein Holzlöffel war kein *woodspoon*, sondern ein *wooden spoon*. Aber wer benutzte schon Holzlöffel? Außerdem war das Ganze sowieso nebensächlich. Trotzdem dachte Theo jedes Mal, wenn er den Namen seines Vaters in schwarzen Lettern an der Bürotür prangen sah, unwillkürlich an das Wort *woodspoon*. Er konnte es sich einfach nicht abgewöhnen.

Das Büro lag im ersten Stock und war über eine morsche Treppe zu erreichen, die von einem abgewetzten, fleckigen Läufer bedeckt war. Mr. Boone saß allein im ersten Stock, weil die Damen ihn aus zwei Gründen aus dem Erdgeschoss verbannt hatten. Erstens war er ein Chaot, und sein Büro sah aus wie ein Schlachtfeld, was Theo aber gut gefiel. Zweitens, und das war viel schlimmer, rauchte Mr. Boone Pfeife, und zwar am liebsten bei geschlossenen Fenstern und ausgeschaltetem Deckenventilator, sodass der schwere Duft des aromatisierten Tabaks die Luft erfüllte, von dem Mr. Boone verschiedene Sorten benutzte. Der Rauch störte Theo nicht, aber er sorgte sich um die Gesundheit seines Vaters. Mr. Boone hielt nicht viel von Fitness. Er bewegte sich wenig und hatte ein paar Kilo zu viel auf den Rippen. Er arbeitete hart, aber im Gegensatz zu seiner Geschäftspartnerin, Theos Mutter, nahm er berufliche Probleme nicht mit nach Hause.

Mr. Boone hatte sich auf Immobilienrecht spezialisiert, was Theo für den langweiligsten Bereich der Juristerei hielt. Sein Vater ging nie vor Gericht, plädierte nie vor Richtern und Geschworenen, schien überhaupt nie das Büro zu verlassen. Tatsächlich bezeichnete er sich selbst oft als »Büroanwalt« und schien damit höchst zufrieden zu sein. Theo bewunderte seinen Vater, hatte aber nicht die Absicht, sein Berufsleben eingesperrt in irgendeinem Büro zu verbringen. *No, Sir.* Theo war für den Gerichtssaal bestimmt.

Da Mr. Boone allein im ersten Stock residierte, war sein Büro riesig. Lange, durchhängende Regale säumten zwei der Wände, und die anderen beiden waren von einer stetig wachsenden Sammlung gerahmter Fotos bedeckt, die Woods Boone bei allen möglichen wichtigen Ereignissen zeigten: wie er Politikern die Hand schüttelte, mit Kollegen bei Anwaltskongressen posierte und Ähnliches. Theo kannte verschiedene Kanzleien der Stadt von innen – er war ziemlich neugierig und hielt stets nach offenen Türen Ausschau – und wusste daher, dass Anwälte ihre Wände gern mit solchen Fotos, Diplomen, Auszeichnungen und Mitgliedsurkunden der verschiedensten Clubs schmückten. »Selbstdarstellungswand« nannte seine Mutter das verächtlich. Ihre Wände waren nämlich bis auf ein paar verwirrend moderne Gemälde kahl.

Theo klopfte und öffnete im selben Moment die Tür. Er hatte Anweisung, sich jeden Nachmittag nach der Schule bei seinen Eltern zu melden, falls er nicht anderweitig beschäftigt war. Sein Vater saß allein hinter einem uralten Schreibtisch, auf dem sich die Papiere türmten. Sein Vater war immer allein, weil seine Mandanten nur selten vorbeikamen. Sie riefen an, schickten Unterlagen mit der Post, per Fax oder E-Mail, aber es gab für sie keinen Grund, sich persönlich von Boone & Boone beraten zu lassen.

»Hallo.« Theo ließ sich auf einen Stuhl fallen.

»Wie war's in der Schule?«, fragte sein Vater wie jeden Tag.

»Gut. Der Direktor hat unsere Exkursion zum Gericht morgen genehmigt. Ich war heute Morgen bei Richter Gantry, und er hat uns Plätze auf der Galerie versprochen.«

»Das ist aber nett von ihm. Da habt ihr Glück. Die halbe Stadt wird da sein.«

»Gehst du auch?«

»Ich? Nein.« Sein Vater deutete mit einer vagen Handbewegung auf die Papierstapel, als erforderten sie seine sofortige Aufmerksamkeit. Theo hatte ein Gespräch zwischen seinen Eltern mitgehört, bei dem sie sich geschworen hatten, sich während des Mordprozesses nicht im Gericht blicken zu lassen. Sie waren selbst viel beschäftigte Anwälte und fanden es nicht richtig, ihre Zeit bei einem Verfahren zu verschwenden, mit dem sie nichts zu tun hatten. Aber Theo wusste, dass sie genauso gern dabei gewesen wären wie der Rest der Stadt.

Seine Eltern – vor allem sein Vater, aber in geringerem Maße auch seine Mutter – schoben gern ihre Arbeit vor.

»Wie lang wird die Verhandlung dauern?«, fragte Theo.

»Angeblich eine Woche, sagt die Gerüchteküche.«

»Am liebsten wäre ich die ganze Zeit dabei.«

»Vergiss es, Theo. Ich habe schon mit Richter Gantry gesprochen. Wenn er dich während der Unterrichtszeit im Saal erwischt, unterbricht er die Verhandlung und lässt dich vom Gerichtsdiener abführen. Und ich hole dich nicht aus dem Gefängnis. Von mir aus kannst du ein paar Tage mit Säufern und Gangmitgliedern absitzen.«

Damit griff Mr. Boone nach einer Pfeife, hielt einen kleinen Anzünder in den Pfeifenkopf und blies den Qualm in den Raum. Vater und Sohn fixierten sich gegenseitig. Theo war nicht sicher, ob sein Vater es ernst meinte, aber er wirkte fest entschlossen.

»Machst du Witze?«, fragte er schließlich.

»Halb und halb. Ich würde dich bestimmt aus dem Gefängnis holen, aber ich habe wirklich mit Richter Gantry gesprochen.«

Theo überlegte fieberhaft, wie er der Verhandlung beiwohnen konnte, ohne dass ihn Richter Gantry entdeckte. Die Schule zu schwänzen war das geringste Problem.

»Und jetzt ab mit dir«, sagte Mr. Boone. »Mach deine Hausaufgaben.«

»Bis später.«

Die Eingangstür im Erdgeschoss wurde von einer Frau gehütet, die fast so alt war wie die Kanzlei selbst. Ihr Vorname war Elsa. Ihr Nachname war

Miller, aber mit dem durfte sie niemand ansprechen, nicht Theo und auch sonst niemand. Trotz ihres Alters, das keiner genau kannte, bestand sie darauf, nur mit Elsa angeredet zu werden. Selbst von einem Dreizehnjährigen. Elsa hatte schon lange vor Theos Geburt für die Boones gearbeitet. Sie war Empfangsdame, Sekretärin, Büroleiterin und, wenn nötig, auch Anwaltsassistentin. Sie führte die Kanzlei und schlichtete gelegentlich die kleinen Differenzen und Meinungsverschiedenheiten zwischen Rechtsanwalt Boone im ersten Stock und Rechtsanwältin Boone im Erdgeschoss.

Elsa spielte im Leben aller drei Boones eine wichtige Rolle. Für Theo war sie Freundin und Vertrauensperson. »Hallo, Elsa«, sagte er, als er an ihrem Schreibtisch stehen blieb, um sie zu umarmen.

Munter wie immer sprang sie auf und drückte ihn kräftig. Dann musterte sie seine Brust. »Hast du das Hemd nicht gestern schon angehabt?«

»Nein.« Hatte er wirklich nicht.

»Kommt mir aber so vor.«

»Wirklich nicht, Elsa.« Sie äußerte sich oft zu seiner Kleidung, was für einen Jungen in seinem Alter ziemlich lästig werden konnte. Immerhin verhinderte es, dass Theo sich gehen ließ. Irgendwer beobachtete einen immer und machte sich im Geiste Notizen, und er dachte oft an Elsa, wenn er sich am Morgen in aller Eile anzog. Noch so eine lästige Angewohnheit, die er nicht ablegen konnte.

Elsas eigene Garderobe war legendär. Sie war klein

und sehr zierlich und konnte daher alles anziehen, wie Theos Mutter immer wieder sagte – am liebsten enge Kleidung in knalligen Farben. Heute trug sie eine schwarze Lederhose mit einem flippigen Pullover, der Theo an grünen Spargel erinnerte. Das kurze graue Haar glänzte und war stachelig nach oben gegelt. Wie immer war ihre Brille auf ihr Outfit abgestimmt, heute also grün. Elsa war das Gegenteil einer grauen Maus. Sie ging auf die siebzig zu, hatte aber nicht vor, diskret zu altern.

»Ist meine Mutter da?«, fragte Theo.

»Ja, die Tür steht offen.« Elsa setzte sich wieder, und Theo ging weiter.

»Danke.«

»Ein Freund von dir hat angerufen.«

»Wer?«

»Ein gewisser Sandy. Er kommt vielleicht vorbei.«

»Danke.«

Theo ging durch den Gang. An einer Tür blieb er stehen, um die Immobiliensekretärin Dorothy zu begrüßen, eine nette Dame, die so langweilig war wie ihr Chef im ersten Stock, und an einer anderen sagte er Vince guten Tag, dem langjährigen Anwaltsassistenten, der Mrs. Boones Fälle bearbeitete.

Marcella Boone telefonierte gerade, als Theo hereinkam und sich setzte. Ihr Glas- und Chromschreibtisch war perfekt aufgeräumt, die Platte größtenteils frei – im krassen Gegensatz zu dem ihres Ehemannes. Die Akten der laufenden Fälle standen ordentlich aufgereiht in einem Regal hinter ihr. Alles war an seinem Platz, bis auf ihre Schuhe, die sie neben ihren Füßen abgestellt hatte. Die hohen Absätze verrieten Theo, dass sie im Gericht gewesen war. Sie trug ihr Verhandlungsoutfit: einen burgunderroten Rock mit passendem Blazer. Seine Mutter war immer attraktiv und gepflegt, aber wenn sie bei Gericht erschien, gab sie sich besondere Mühe.

»Männer können wie Penner auftreten«, sagte sie oft, »aber von den Frauen erwartet man, dass sie nett aussehen. Wenn das fair ist …«

Elsa fand das auch nicht fair.

Tatsächlich gab Mrs. Boone gern Geld für Kleidung und ein gepflegtes Äußeres aus. Mr. Boone interessierte sich überhaupt nicht für Mode und noch weniger für Ordnung. Er war nur drei Jahre älter als seine Frau, hinkte ihr geistig jedoch mindestens ein Jahrzehnt hinterher.

Im Augenblick sprach sie mit einem Richter, der nicht ihrer Meinung war. Als sie auflegte, hellte sich ihre Miene schlagartig auf.

»Hallo, Schatz«, sagte sie mit einem Lächeln. »Wie war dein Tag?«

»Super, Mom. Und deiner?«

»Das Übliche. Irgendwas Neues in der Schule?«

»Nur eine Exkursion morgen, zum Gericht. Gehst du zur Verhandlung?«

Sie schüttelte den Kopf. »Ich habe um zehn einen Termin bei Richter Sanford. Ich habe zu viel zu tun, um in einer Verhandlung herumzusitzen, Theo.«

»Dad hat gesagt, er hat mit Richter Gantry geredet, und die beiden haben sich überlegt, wie sie mich von dem Prozess fernhalten können. Voll daneben.«

»Ich finde das absolut in Ordnung. Im Moment ist die Schule das Wichtigste.«

»Schule ist langweilig, Mom. Ich habe nur zwei Fächer, die mir Spaß machen. Alles andere ist Zeitverschwendung.«

»Zeitverschwendung würde ich deine Ausbildung nicht nennen.«

»Im Gericht könnte ich mehr lernen.«

»Schon möglich, aber du wirst noch genügend Gelegenheit haben, jede Menge Zeit dort zu verbringen. Im Augenblick konzentrieren wir uns auf die achte Klasse. Einverstanden?«

»Ich würde gern ein paar Onlinekurse in Recht machen. Es gibt da eine coole Website mit tollen Angeboten.«

»Theodore, Schätzchen, du bist noch nicht so weit, dass du Jura studieren könntest. Das haben wir doch schon besprochen. Genieß die achte Klasse, dann kommt die Highschool, und danach sehen wir weiter. Du bist noch ein Kind. Genieß deine Kindheit.«

Er deutete ein Achselzucken an, sagte aber nichts.

»Und jetzt machst du deine Hausaufgaben.«

Ihr Telefon klingelte, und Elsa stellte einen weiteren wichtigen Anruf durch.

»Ich muss weitermachen, Teddy. Und vergiss nicht: Immer lächeln!«, sagte Mrs. Boone.

Theo schlüpfte zur Tür hinaus. Er schleppte seinen Rucksack durch den stets unaufgeräumten Kopierraum und schlängelte sich durch zwei Archivräume, in denen sich große Kartons voll alter Akten stapelten.

Theo war mit Sicherheit der einzige Achtklässler in Strattenburg, der sein eigenes Rechtsanwaltsbüro hatte. Eigentlich handelte es sich um eine bessere Besenkammer, die jemand vor Jahren an das eigentliche Haus angebaut hatte. Bevor Theo sie in Besitz nahm, waren dort alte Gesetzbücher aufbewahrt worden. Sein Schreibtisch war ein Kartentisch, der zwar nicht ganz so ordentlich war wie der Schreibtisch seiner Mutter, aber deutlich aufgeräumter als der seines Vaters. Davor stand ein abgewetzter Drehstuhl, den er aus dem Sperrmüll gerettet hatte, als seine Eltern die Bibliothek vorne in der Nähe von Elsas Rezeption neu eingerichtet hatten.

Auf dem Stuhl saß sein Hund. Judge verbrachte jeden Tag in der Kanzlei, wo er entweder schlief oder lautlos durch die Räume strich. Dabei versuchte er geflissentlich, den viel beschäftigten Menschen aus dem Weg zu gehen. Bei Besprechungen wurde er regelmäßig vor die Tür gesetzt. Nachmittags schlich er sich in Theos Büro, sprang auf seinen Stuhl und wartete.

»Hallo, Judge.« Theo streichelte ihm den Kopf. »War viel los heute?«

Judge hüpfte auf den Boden und wedelte glücklich mit dem Schwanz. Theo ließ sich auf seinem Stuhl nieder, stellte seinen Rucksack auf dem Schreibtisch ab und sah sich um. An der einen Wand hatte er mit Reißzwecken ein großes Poster der Minnesota Twins befestigt. Seines Wissens nach war er der einzige Fan des Baseball-Teams in der Stadt. Minnesota lag anderthalbtausend Kilometer entfernt, und Theo war nie dort gewesen. Er war nur für die Mannschaft, weil er der Einzige in Strattenburg war. Zumindest einen Fan sollte sie in der Stadt haben, das war nur gerecht. Er hatte sich vor Jahren für die Twins entschieden und hielt mit einer eisernen Treue zu ihnen, die während der langen Saison immer wieder auf eine harte Probe gestellt wurde.

An einer anderen Wand hing eine große Skizze im Cartoonstil, die Rechtsanwalt Theo Boone mit Anzug und Krawatte im Gerichtssaal zeigte. Ein Richterhammer flog haarscharf an seinem Kopf vorbei. »Abgewiesen!«, stand unter der Zeichnung. Im Hintergrund brüllten die Geschworenen vor Lachen – auf Theos Kosten. Rechts unten hatte die Künstlerin sie signiert: April Finnemore. Sie hatte Theo die Zeichnung zu seinem letzten Geburtstag geschenkt. Im Augenblick träumte sie davon, sich nach Paris abzusetzen und für den Rest ihres Lebens Straßenszenen zu zeichnen und zu malen.

Eine Tür führte zu einer kleinen Veranda, von der aus es zu dem kiesbedeckten Hinterhof ging, der als Parkplatz genutzt wurde.

Wie üblich packte Theo seinen Rucksack aus und fing mit den Hausaufgaben an, die er nach einer strengen Regel seiner Eltern, die noch aus seiner Zeit als Erstklässler stammte, bis zum Abendessen fertig haben musste. Sein Asthma hinderte Theo daran, sich an den Mannschaftssportarten zu beteiligen, die ihn eigentlich interessierten, aber dafür bekam er allerbeste Noten. Im Laufe der Jahre hatte er seinen schulischen Erfolg widerwillig als gar nicht so üblen Ersatz für die Spiele akzeptiert, die er sich entgehen lassen musste. Golf war jedoch kein Problem, und so stand er jeden Samstag um neun mit seinem Vater am Abschlag.

Es klopfte an der Hintertür. Judge, der es sich unter dem Tisch gemütlich gemacht hatte, knurrte leise.

Sandy Coe war ebenfalls in der achten Klasse, aber an einem anderen Zweig der Schule. Theo kannte ihn, allerdings nicht besonders gut. Er war ein netter, stiller Junge. Jetzt wollte er dringend reden, und Theo bat ihn herein. Sandy ließ sich auf der einzigen anderen Sitzgelegenheit nieder, einem Klappstuhl, der in einer Ecke stand. Als sie beide saßen, war der Raum voll.

»Das hier bleibt doch unter uns?«, fragte Sandy. Er wirkte verschüchtert und nervös.

»Klar. Was ist los?«

»Ich brauche einen Rat, glaube ich. So genau weiß ich das auch nicht, aber ich muss einfach mit jemandem reden.«

»Wenn du mir was erzählen willst, behandle ich das natürlich vertraulich«, versprach Theo wie ein echter Rechtsanwalt.

»Gut. Also, mein Dad ist seit ein paar Monaten arbeitslos, und bei uns zu Hause sieht es ziemlich düster aus.« Er legte eine Pause ein und wartete, dass Theo etwas sagte.

»Tut mir leid.«

»Letzte Nacht hatten meine Eltern in der Küche ein sehr ernstes Gespräch. Ich hätte nicht lauschen sollen, aber ich konnte nicht anders. Weißt du, was eine Zwangsvollstreckung ist?«

»Ja.«

»Und was?«

»Im Augenblick gibt es jede Menge Zwangsvollstreckungen. Wenn ein Hauseigentümer mit seinen Hypothekenzahlungen in Rückstand gerät, will die Bank dafür das Haus haben.«

»Ich verstehe überhaupt nichts.«

»Pass auf, die Sache funktioniert so.« Theo nahm ein Heft und legte es mitten auf den Tisch. »Sagen wir, das ist ein Haus, und du willst es kaufen. Es kostet hunderttausend Dollar, und weil du keine hunderttausend Dollar hast, gehst du zur Bank und leihst dir das Geld.« Er legte ein Schulbuch neben das Heft. »Das hier ist die Bank.«

»Verstanden.«

»Die Bank leiht dir die Hunderttausend, und du kaufst damit das Haus. Dafür verpflichtest du dich, der Bank dreißig Jahre lang fünfhundert Dollar monatlich zu zahlen, oder so.«

»Dreißig Jahre lang?«

»Ja. Das wäre ein typischer Vertrag. Die Bank verlangt Zinsen, das ist eine Art Gebühr dafür, dass sie dir Geld leiht. Du zahlst also jeden Monat einen Teil der Hunderttausend plus Zinsen zurück. Das ist für alle ein gutes Geschäft. Du bekommst das Haus, das du haben willst, und die Bank verdient an den Zinsen. Alles ist in schönster Ordnung, bis irgendwas passiert und du die monatlichen Raten nicht mehr zahlen kannst.«

»Was ist eine Hypothek?«

»So ein Geschäft nennt sich Hypothek. Die Bank hat Anspruch auf das Haus, bis das Darlehen abbezahlt ist. Wenn du mit deinen monatlichen Raten im Rückstand bist, kann sich die Bank dafür das Haus nehmen. Die Bank wirft dich raus und behält das Haus. Das ist eine Zwangsvollstreckung.« Er legte das Schulbuch auf das Heft, von dem nun nichts mehr zu sehen war.

»Meine Mutter hat geweint, als sie darüber geredet haben, dass wir ausziehen müssen. Wir wohnen seit meiner Geburt in dem Haus.«

Theo klappte seinen Laptop auf und schaltete ihn ein. »Das ist furchtbar«, sagte er. »Im Augenblick passiert so etwas ständig.«

Sandy ließ verzweifelt den Kopf hängen.

»Wie heißt dein Vater?«

»Thomas. Thomas Coe.«

»Und deine Mutter?«

»Evelyn.«

Theo drosch auf die Tastatur ein. »Eure Adresse?«

»Bennington 814.«

Theo tippte weiter.

»O je«, sagte er nach einer Weile.

»Was ist?«

»Die Bank ist die Security Trust in der Main Street. Vor vierzehn Jahren haben deine Eltern eine Hypothek über Hundertzwanzigtausend mit einer Laufzeit von dreißig Jahren aufgenommen. Seit vier Monaten zahlen sie nichts mehr zurück.«

»Seit vier Monaten?«

»Ja.«

»Und das steht alles im Internet?«

»Ja, aber da kommt nicht jeder ran.«

»Wie machst du das?«

»Ich habe so meine Mittel und Wege. Viele Kanzleien bezahlen dafür, dass sie Zugriff auf bestimmte Daten bekommen. Ich weiß eben, wo ich suchen muss.«

Sandy sank auf seinem Stuhl zusammen und schüttelte den Kopf. »Dann verlieren wir das Haus?«

»Nicht unbedingt.«

»Was soll das heißen? Mein Dad ist arbeitslos.«

»Es gibt eine Möglichkeit, die Zwangsvollstreckung zu verhindern und die Bank hinzuhalten. Dann könnt ihr das Haus noch eine Weile behalten, und dein Dad findet vielleicht inzwischen Arbeit.«

Sandys Gesicht war ein einziges Fragezeichen.

»Hast du schon mal was von Insolvenz gehört?«, fragte Theo.

»Schon, aber ich habe keine Ahnung, was das heißt.«

»Es ist eure einzige Chance. Deine Eltern müssen Gläubigerschutz beantragen. Dazu müssen sie einen Rechtsanwalt beauftragen, der für sie den Antrag beim Insolvenzgericht einreicht.«

»Was kostet so ein Anwalt?«

»Das ist im Moment zweitrangig. Wichtig ist, dass ihr zu einem Anwalt geht.«

»Kannst du das nicht machen?«

»Leider nicht. Und meine Eltern sind keine Insolvenzanwälte. Aber ihr könnt euch an Steve Mozingo wenden, der hat seine Kanzlei nur zwei Häuser weiter und ist sehr gut. Meine Eltern schicken ihm auch Mandanten. Sie halten viel von ihm.«

Sandy schrieb sich den Namen auf. »Und du meinst, wir können unser Haus vielleicht behalten?«

»Ja, aber nur, wenn deine Eltern so schnell wie möglich mit dem Mann reden.«

»Danke, Theo. Ich weiß gar nicht, was ich sagen soll.«

»Keine Ursache. Freut mich, wenn ich behilflich sein konnte.«

Sandy flitzte durch die Tür, als wollte er den ganzen Weg nach Hause rennen, um die gute Nachricht zu überbringen. Theo sah ihm nach, als er sich aufs Rad schwang und über den Parkplatz davonfuhr.

Wieder ein zufriedener Mandant.

Vier

Um 16.45 Uhr kam Mrs. Boone mit einem Ordner in der einen und einem Dokument in der anderen Hand in Theos Büro.

»Theo«, sagte sie über ihre Lesebrille hinweg. »Kannst du schnell zum Familiengericht fahren und das hier noch vor fünf abgeben?«

»Klar, Mom.«

Theo war schon aufgesprungen und griff nach seinem Rucksack. Er hatte gehofft, dass in irgendeiner Ecke der Kanzlei ein Antrag auftauchen würde, der bei Gericht eingereicht werden musste.

»Du bist doch fertig mit den Hausaufgaben?«

»Ja, wir hatten nicht viel auf.«

»Gut. Heute ist Montag, vergiss nicht, Ike zu besuchen. Ihm ist das sehr wichtig.«

Jeden Montag wurde Theo von seiner Mutter daran erinnert, dass Montag war. Das bedeutete zweierlei: erstens, dass Theo mindestens eine halbe Stunde bei Ike verbringen musste, und zweitens, dass sie im Robilio, einem italienischen Restaurant, zu Abend essen würden. Wobei Robilio deutlich angenehmer war als Ike.

»Geht klar«, sagte er und verstaute die Dokumente in seinem Rucksack. »Wir sehen uns im Robilio.«

»Ja, Schatz, um sieben.«

»In Ordnung«, erwiderte er und öffnete die Hintertür. Judge tröstete er damit, dass er bald wieder da sein würde.

Sie aßen immer um sieben zu Abend. Wenn sie zu Hause blieben, was nur selten vorkam, weil seine Mutter nicht gern kochte, aßen sie um sieben. Wenn sie ins Restaurant gingen, aßen sie um sieben. Wenn sie in Urlaub fuhren, aßen sie um sieben. Wenn sie Freunde besuchten, konnten sie schlecht die Zeit bestimmen, aber da alle Welt wusste, wie wichtig den Boones diese Uhrzeit war, wurde normalerweise auch dort um sieben gegessen. Wenn Theo einmal bei einem Freund blieb, zelten ging oder aus einem anderen Grund nicht zu Hause war, genoss er es sehr, vor oder nach sieben Uhr zu Abend zu essen.

Fünf Minuten später stellte er sein Rad am Ständer vor dem Gericht ab und schloss es mit der Kette an. Das Familiengericht war im zweiten Stock, neben dem Nachlassgericht und auf demselben Gang wie das Strafgericht. In dem Gebäude waren noch viele andere Abteilungen untergebracht: Verkehrsgericht, Zivilgericht, Insolvenzgericht, Vormundschaftsgericht, Tiergericht und vermutlich noch ein oder zwei andere, die Theo bisher nicht entdeckt hatte.

Er hatte gehofft, April zu begegnen, aber sie war nicht da. Der Sitzungssaal war verlassen, in den Gängen herrschte gähnende Leere.

Er öffnete die Glastür zur Geschäftsstelle und trat ein. Jenny, die Schöne, wartete schon.

»Hallo, Theo«, begrüßte sie ihn mit strahlendem Lächeln, als sie von ihrem Computer hinter der langen Theke aufsah.

»Hallo, Jenny«, sagte er. Sie war sehr hübsch und jung, und Theo war in sie verliebt. Er hätte Jenny vom Fleck weg geheiratet, aber sein Alter und ihr Ehemann stellten ein gewisses Hindernis dar. Außerdem war sie schwanger, was ihn ein wenig störte, obwohl er das lieber für sich behielt.

»Das ist von meiner Mutter.« Damit übergab er die Dokumente.

Jenny nahm sie entgegen und studierte sie einen Augenblick lang. »O je, noch mehr Scheidungen«, sagte sie dann.

Theo hing an ihren Lippen.

»Gehst du morgen zur Verhandlung?«, fragte er schließlich.

»Wenn ich hier wegkomme, schaue ich vielleicht vorbei. Und du?«

»Ja. Ich kann es gar nicht erwarten.«

»Wird bestimmt interessant.«

Theo beugte sich vor. »Glaubst du, er ist schuldig?«

Jenny beugte sich ebenfalls vor und warf einen Blick über die Schulter, als hätten sie wichtige Geheimnisse zu besprechen. »Und ob. Was ist mit dir?«

»Na ja, er muss als unschuldig gelten.«

»Du treibst dich zu viel in der Kanzlei herum,

Theo. Ich wollte wissen, was du denkst, ganz inoffiziell natürlich.«

»Ich glaube, er ist schuldig.«

»Wir werden ja sehen.« Sie lächelte flüchtig und wandte sich wieder ihrer Arbeit zu.

»Jenny, kannst du mir sagen, ob die Verhandlung von heute Morgen, die Finnemore-Sache, zu Ende ist?«

Sie sah sich argwöhnisch um. Offenbar wollte sie sich zu einem laufenden Verfahren nicht äußern. »Richter Sanford hat die Verhandlung um 16.00 Uhr auf morgen früh vertagt.«

»Warst du im Sitzungssaal?«

»Nein. Warum fragst du, Theo?«

»Ich gehe mit April Finnemore zur Schule. Ihre Eltern lassen sich scheiden. Reine Neugier.«

»Verstehe«, sagte sie traurig.

Theo ließ sie immer noch nicht aus den Augen.

»Bis dann, Theo.«

Der Sitzungssaal ein paar Türen weiter war abgeschlossen. Ein unbewaffneter Gerichtsdiener in einer zu engen, verblichenen Uniform stand neben dem Haupteingang. Theo kannte alle Gerichtsdiener. Der hier, ein gewisser Mr. Gossett, gehörte zu den unfreundlicheren. Mr. Boone hatte ihm erklärt, dass Gerichtsdiener normalerweise ältere, nicht mehr ganz so flinke Polizisten waren, die am Ende ihrer Laufbahn standen. Sie bekamen einen neuen Titel und wurden ans Gericht versetzt, wo es weniger aufregend und gefährlich zuging als auf der Straße.

»Hallo, Theo«, sagte Mr. Gossett, ohne eine Miene zu verziehen.

»Hallo, Mr. Gossett.«

»Was führt dich her?«

»Ich habe nur was für meine Eltern abgegeben.«

»Das ist alles?«

»Ja, Mr. Gossett.«

»Du willst nicht vielleicht herausfinden, ob der Sitzungssaal für den großen Prozess vorbereitet ist?«

»Das auch.«

»Hab ich's mir doch gedacht. Heute war einiges los. Eine Fernsehcrew ist gerade erst weggefahren. Wird bestimmt interessant.«

»Haben Sie morgen Dienst?«

»Natürlich habe ich morgen Dienst«, erwiderte Mr. Gossett mit stolzgeschwellter Brust, als könnte die Verhandlung ohne ihn nicht stattfinden. »Es wird strenge Sicherheitskontrollen geben.«

»Warum?«, fragte Theo, obwohl er es genau wusste. Mr. Gossett hielt sich für einen Rechtsexperten. Als ob die bloße Anwesenheit bei Verhandlungen und Anhörungen reichen würde, um sich auszukennen! Tatsächlich döste Mr. Gossett oft vor sich hin. Und wie viele Menschen, die nicht so viel wissen, wie sie glauben, ließ Mr. Gossett seine weniger glücklichen Mitmenschen gern an seinen Erkenntnissen teilhaben.

Er sah auf die Uhr, als hätte er ein volles Programm. »Das ist ein großer Mordprozess«, sagte er mit wichtiger Miene.

Ach, echt?, dachte Theo.

»Und Mordprozesse ziehen Menschen an, die gefährlich werden könnten.«

»Wen denn zum Beispiel?«

»Sagen wir es mal so, Theo: Bei jedem Mord gibt es ein Opfer, und das Opfer hat Freunde und Angehörige. Diese Leute sind natürlich wütend, weil das Opfer ermordet wurde. Kannst du mir folgen?«

»Natürlich.«

»Und dann gibt es einen Angeklagten. In diesem Fall ist das Mr. Duffy, der sich nicht schuldig bekennt. Das behaupten sie natürlich alle, aber nehmen wir einmal an, es stimmt. Wenn das der Fall ist, ist der wahre Mörder noch auf freiem Fuß. Vielleicht will er wissen, was in dem Prozess vor sich geht.« Mr. Gossett sah sich argwöhnisch um. Vielleicht hatte er Angst, der Mörder könnte ihn hören und sauer werden.

Theo lagen einige Fragen auf der Zunge. *Wieso stellt der wahre Mörder eine Gefahr dar? Was sollte der in der Verhandlung schon anstellen? Noch jemanden umbringen? Vor den Augen des Gerichts? Vor Dutzenden von Zeugen?*

»Verstehe«, sagte er stattdessen. »Da müssen Sie natürlich gut aufpassen.«

»Wir müssen alles unter Kontrolle halten.«

»Bis morgen dann.«

»Kommst du auch?«

»Ganz bestimmt.«

Mr. Gossett schüttelte den Kopf. »Daraus wird wohl nichts, Theo. Der Saal wird überfüllt sein. Da bekommst du keinen Platz mehr.«

»Ich habe heute Morgen mit Richter Gantry gesprochen. Er hat versprochen, mir gute Plätze zu reservieren.«

Damit wandte Theo sich zum Gehen.

Mr. Gossett hatte es die Sprache verschlagen.

Ike war Theos Onkel, der ältere Bruder von Woods Boone. Als Theo noch gar nicht geboren war, hatte Ike zusammen mit Theos Eltern die Kanzlei Boone & Boone gegründet. Er war Steueranwalt gewesen, von denen es in der Stadt nicht viele gab. Den spärlichen Informationen zufolge, die Theo zu diesem Thema in Erfahrung bringen konnte, hatten die drei Anwälte friedlich und erfolgreich zusammengearbeitet, bis Ike etwas Schlimmes tat. Etwas ganz Übles. So schlimm, dass er seine Zulassung als Anwalt verlor. Theo hatte seine Eltern mehrfach gefragt, was sich Ike konkret hatte zuschulden kommen lassen, aber die wollten ihm keine Einzelheiten verraten. Entweder wollten sie nicht darüber reden oder sie versprachen, es ihm zu erklären, wenn er älter war.

Ike befasste sich immer noch mit Steuersachen, aber nur auf untergeordneter Ebene. Da er weder Anwalt noch Steuerberater war, sich aber irgendwie seinen Lebensunterhalt verdienen musste, half er Arbeitnehmern und Kleinunternehmern bei ihren Steuererklärungen. Sein Büro befand sich im ersten Stock eines alten Gebäudes in der Innenstadt. Im Erdgeschoss führte ein griechisches Ehepaar einen Lebensmittelladen mit Imbiss. Ike erledigte für sie die

Steuern und bekam dafür fünfmal pro Woche ein kostenloses Mittagessen.

Seine Frau hatte sich scheiden lassen, als er seine Zulassung verlor. Er war einsam und nicht besonders umgänglich. Theo fand die montäglichen Besuche nicht gerade angenehm. Aber Ike gehörte zur Familie, und das allein zählte, behaupteten zumindest Theos Eltern, die selbst jedoch kaum Zeit mit Ike verbrachten.

»Hallo, Theo«, rief Ike, als Theo die Tür zu dem langen, vollgestopften Raum öffnete und eintrat.

»Hallo, Ike.« Obwohl er älter war als Theos Vater, bestand Ike darauf, nur mit dem Vornamen angeredet zu werden. Wie Elsa fühlte er sich dann jünger. Er trug ausgeblichene Jeans, Sandalen, ein T-Shirt mit Bierwerbung und verschiedene Perlenarmbänder am linken Handgelenk. Sein langes, weißes Haar war ungepflegt und im Nacken zu einem Pferdeschwanz zusammengebunden.

Er saß an seinem Schreibtisch, einer breiten Platte, auf der sich die Akten stapelten. Aus der Stereoanlage drang leise ein Lied von *Grateful Dead*. Billige grelle Bilder bedeckten die Wände.

Mrs. Boone zufolge war Ike der typische steife Unternehmenssteueranwalt im dunklen Anzug gewesen, bevor er in Schwierigkeiten geriet. Jetzt sah er sich als alten Hippie, der gegen alles war. Ein echter Rebell.

»Wie geht's meinem Lieblingsneffen?«, fragte er, als Theo sich auf den Stuhl hinter dem Schreibtisch setzte.

»Bestens.« Theo war sein einziger Neffe. »Wie war dein Tag?«

Ike deutete auf das Chaos auf seinem Schreibtisch. »Wie üblich. Ich löse die Geldprobleme von Leuten, die kein Geld haben. Wie geht's bei Boone & Boone?«

»Wie immer.« Obwohl sein Büro nur vierhundert Meter von der Kanzlei entfernt war, sah Ike Theos Eltern nur selten. Sie waren nicht zerstritten, aber die Vergangenheit war nicht vergessen.

»Wie läuft's in der Schule?«

»Gut.«

»Nur Einsen?«

»Ja. Vielleicht eine Eins minus in Chemie.«

»Von dir hätte ich eine glatte Eins erwartet.«

Nicht nur du, dachte Theo. Er hatte keine Ahnung, wieso sich Ike ein Urteil über Theos Noten erlaubte, aber vielleicht durfte er das als Onkel. Seine Eltern hatten ihm erzählt, Ike sei ein Genie. Für das College hatte er angeblich nur drei Jahre gebraucht.

»Wie geht's deiner Mutter?«

»Bestens. Immer bei der Arbeit.«

Nach Mr. Boone fragte Ike nie.

»Du bist wahrscheinlich ganz schön gespannt auf die Verhandlung morgen.«

»Ja. Meine Sozialkundeklasse macht eine Exkursion zum Gericht. Wir werden den ganzen Tag da sein. Kommst du auch?«, fragte Theo, obwohl er die Antwort kannte.

Ike schnaubte verächtlich. »Ich doch nicht. Ich betrete freiwillig keinen Gerichtssaal. Außerdem habe ich zu viel Arbeit.« Typisch Boone.

»Ich kann es kaum erwarten«, sagte Theo.

»Willst du immer noch ein großer Prozessanwalt werden?«

»Was ist daran falsch?«

»Vermutlich gar nichts.« Das Gespräch wiederholte sich jede Woche. Ike wollte, dass Theo Architekt oder Künstler wurde, etwas Kreatives eben. »Die meisten Kinder wollen Polizist, Feuerwehrmann, ein berühmter Sportler oder Schauspieler werden. Ich habe noch nie erlebt, dass jemand besessen davon ist, Anwalt zu werden.«

»Jeder muss irgendwas machen.«

»Da hast du wohl recht. Der Verteidiger, dieser Clifford Nance, ist sehr gut. Hast du ihn je bei der Arbeit gesehen?«

»Nicht in einem wichtigen Prozess. Ich habe ihn Anträge stellen sehen, aber nicht in einer Hauptverhandlung.«

»Ich kannte Clifford mal sehr gut. Ist schon lange her. Ich wette, er gewinnt.«

»Glaubst du wirklich?«

»Natürlich. Soweit ich gehört habe, steht die Anklage auf wackligen Füßen.« Obwohl er nicht viel unter Leute ging, wusste Ike immer, welche Gerüchte am Gericht in Umlauf waren. Theos Vater hatte den Verdacht, dass er seine Informationen aus den allwöchentlichen Pokerspielen mit einer Gruppe pensionierter Juristen bezog.

»Es gibt eigentlich keinen Beweis dafür, dass Mr. Duffy seine Frau getötet hat«, erklärte Ike. »Die Anklage kann höchstens ein starkes Motiv nachweisen und ihn verdächtig aussehen lassen, aber das ist auch schon alles.«

»Was ist denn das Motiv?«, fragte Theo, obwohl er die Antwort kannte. Er wollte sehen, wie viel Ike wusste – oder zu erzählen bereit war.

»Geld. Eine Million Dollar. Mr. Duffy hat vor zwei Jahren eine Lebensversicherung über eine Million Dollar für seine Frau abgeschlossen. Bei ihrem Tod geht das Geld an ihn. Sein Geschäft steckte in Schwierigkeiten. Er brauchte Bares; deswegen wird angenommen, dass er die Sache buchstäblich selbst in die Hand genommen hat.«

»Er hat sie erdrosselt?« Theo hatte jeden einzelnen Zeitungsartikel über den Fall gelesen und kannte die Todesursache.

»So lautet die Hypothese. Sie ist stranguliert worden. Die Anklage wird behaupten, Mr. Duffy habe sie erdrosselt und dann das Haus verwüstet und ihren Schmuck an sich genommen, damit es so aussieht, als hätte sie einen Einbrecher überrascht.«

»Und was will Mr. Nance beweisen?«

»Der muss gar nichts beweisen, aber er wird damit argumentieren, dass es keinen Beweis dafür gibt, dass Mr. Duffy am Tatort war. Meines Wissens nach gibt es keine Zeugen, die ihn dort gesehen haben. Für die Staatsanwaltschaft ist das eine harte Nuss.«

»Glaubst du, er ist schuldig?«

Ike ließ mindestens acht Knöchel knacken und verschränkte die Hände hinter dem Kopf.

»Wahrscheinlich«, meinte er, nachdem er einen Augenblick lang überlegt hatte. »Ich wette, Duffy hat alles sorgfältig geplant, und es ist exakt nach Wunsch gelaufen. Diese Leute da draußen tun merkwürdige Dinge.«

Diese Leute waren die Einwohner von Waverly Creek, einer Luxussiedlung, die um einen 27-Loch-Golfplatz herum angelegt und durch Absperrungen gesichert war. Dort lebten die neu Zugezogenen, während die Alteingesessenen in der eigentlichen Stadt wohnten und sich für die wahren Bürger Strattenburgs hielten. Der Satz »*Die wohnen draußen in Creek*« war häufig zu hören und im Allgemeinen auf Menschen bezogen, die wenig für die Gemeinschaft taten und sich vor allem für Geld interessierten. Die Trennung leuchtete Theo nicht besonders ein. Er hatte *da draußen* Freunde. Seine Eltern hatten Mandanten aus Waverly Creek. Obwohl die Wohnanlage nur gut drei Kilometer östlich der Stadt lag, wurde oft so getan, als läge sie auf einem anderen Planeten.

Mrs. Boone sagte, in kleinen Städten hätten die Leute viel zu viel damit zu tun, sich um fremde Angelegenheiten zu kümmern. Seit Theo klein war, hatte sie ihn daher immer wieder davor gewarnt, andere vorschnell zu verurteilen.

Das Gespräch kam auf Baseball und natürlich die Yankees. Ike war ein leidenschaftlicher Yankees-Fan und prahlte gern mit den Erfolgen seiner Mannschaft.

Obwohl es erst April war, war er davon überzeugt, dass sie wieder die World Series gewinnen würden. Theo konterte wie immer, aber als Twins-Fan hatte er einen schweren Stand.

Nach einer halben Stunde ging er, mit dem Versprechen, nächste Woche wiederzukommen.

»In Chemie musst du besser werden«, mahnte Ike streng.

Fünf

Richter Henry Gantry zupfte den rechten Ärmel seiner langen schwarzen Robe zurecht und betrat den Saal durch die schwere Eichentür hinter dem Richtertisch.

»Bitte erheben Sie sich!«, rief ein Gerichtsdiener.

Alle – Zuschauer und Prozessbeteiligte wie Geschworene, Staatsanwälte und Verteidiger – standen schlagartig auf.

Der Gerichtsdiener ratterte seinen üblichen Spruch herunter: »Hört, hört, das Strafgericht des Zehnten Distrikts tagt nun unter dem Vorsitz des ehrenwerten Henry Gantry. Möge jeder seine Angelegenheiten vortragen. Gott segne dieses Gericht.«

»Bitte nehmen Sie Platz«, sagte Richter Gantry laut in das Mikrofon vor ihm. So schnell wie sich die Menge erhoben hatte, plumpste sie wieder zurück. Stühle knarrten, und Bänke ächzten. Hand- und Aktentaschen wurden zurechtgeschoben, und die etwa zweihundert Menschen schienen alle auf einmal auszuatmen. Dann wurde es still.

Richter Gantry sah sich kurz im Saal um. Wie zu erwarten, war jeder Platz besetzt. »Heute herrscht ja großes Interesse«, stellte er fest. »Danke fürs Kommen.«

Er warf einen Blick zur Galerie, nahm Blickkontakt mit Theo Boone auf und lächelte beim Anblick seiner Mitschüler, die dort oben wie Hühner auf der Stange saßen und ihn gebannt ansahen.

»Aufgerufen wird die Sache Peter Duffy. Ist die Staatsanwaltschaft bereit?«

Jack Hogan, der Staatsanwalt, erhob sich. »Ja, Euer Ehren, die Staatsanwaltschaft ist bereit.«

»Ist der Angeklagte bereit?«

Clifford Nance stand auf. »Wir sind bereit, Euer Ehren«, sagte er feierlich.

Richter Gantry drehte sich zu den Geschworenen um, die rechts von ihm saßen. »Meine Damen und Herren Geschworene, als Sie letzte Woche ausgewählt wurden, habe ich Sie ausdrücklich darauf hingewiesen, dass Sie mit niemandem über die Sache sprechen dürfen. Ich habe Sie darauf aufmerksam gemacht, dass Sie mich benachrichtigen müssen, falls jemand versucht, mit Ihnen den Prozess zu erörtern. Hat Sie jemand diesbezüglich kontaktiert?«

Alle Geschworenen schüttelten den Kopf.

»Gut. Über sämtliche im Vorverfahren gestellten Anträge wurde bereits entschieden. In diesem Stadium des Verfahrens haben Anklage und Verteidigung Gelegenheit, sich direkt an Sie zu wenden und ihre Eröffnungsplädoyers zu halten. Ein Eröffnungsplädoyer ist kein Beweis, sondern nur eine Zusammenfassung der Sicht der Ereignisse durch die jeweilige Seite.

Da die Beweislast bei der Anklage liegt, beginnt der Staatsanwalt. Sind Sie so weit, Mr. Hogan?«

»Ja, Euer Ehren.«

»Dann halten Sie Ihren Vortrag.«

Theo hatte beim Frühstück keinen Bissen heruntergebracht und kaum geschlafen. Er hatte oft von Sportlern gelesen, die vor einem wichtigen Spiel so nervös waren, dass sie weder essen noch schlafen konnten. Sie waren einfach zu aufgeregt dafür, und ihr Magen rebellierte vor Angst. Genau diesen Druck spürte Theo jetzt auch. Die Atmosphäre im Saal war angespannt. Obwohl er nur Zuschauer war, kribbelte es in seinem Bauch. Jetzt wurde es ernst.

Mr. Hogan war Berufsjurist, kein Wahlbeamter, und in Strattenburg für alle wichtigen Fälle zuständig. Er war groß, drahtig, hatte eine Glatze und trug grundsätzlich nur schwarze Anzüge. Hinter seinem Rücken wurde darüber gewitzelt, ob er nur einen oder mehrere Dutzend davon besaß. Obwohl er nur äußerst selten lächelte, begann er mit einem freundlichen »Guten Morgen« und stellte sich selbst sowie die beiden jüngeren Staatsanwälte an seinem Tisch vor. Damit gelang es ihm, das Eis zu brechen.

Dann kam er zur Sache. Er stellte das Opfer Myra Duffy vor, indem er den Geschworenen ein großes Farbporträt von ihr zeigte.

»Sie war zum Zeitpunkt ihrer Ermordung erst sechsundvierzig«, sagte er ernst. »Mutter zweier Söhne, Will und Clark, die beide am College studieren. Würden Sie bitte aufstehen?« Er deutete auf die erste

Reihe, direkt hinter dem Tisch der Staatsanwaltschaft, und die beiden jungen Männer erhoben sich verlegen und sahen die Geschworenen an.

Theo wusste aus der Zeitung, dass ihr Vater, Mrs. Duffys erster Ehemann, bei einem Flugzeugabsturz ums Leben gekommen war, als sie noch klein waren. Auch Mr. Duffy war schon einmal verheiratet gewesen.

In der Stadt hieß es, »*da draußen in Creek*« hätten die meisten Leute mehrere Ehen auf dem Buckel.

Mr. Hogan schilderte das Verbrechen. Mrs. Duffy war im Wohnzimmer des großen modernen Hauses gefunden worden, in dem sie mit Mr. Duffy lebte. Es handelte sich um einen Neubau, keine drei Jahre alt, der auf einem an den Golfplatz grenzenden Waldgrundstück stand. Wegen der Bäume war das Haus von der Straße aus kaum einsehbar, aber das galt für die meisten Häuser in Waverly Creek. Der Schutz der Privatsphäre war »da draußen« sehr wichtig.

Als die Tote gefunden wurde, war die Haustür nicht abgeschlossen und stand einen Spalt weit offen. Die Alarmanlage war auf Stand-by-Betrieb gesetzt. Irgendwer hatte Mrs. Duffys Schmuck aus dem Schrank, eine antike Uhrensammlung, die Mr. Duffy gehörte, sowie drei Handfeuerwaffen aus einer Schublade im Fernsehraum an sich genommen. Der geschätzte Wert der Beute belief sich auf dreißigtausend Dollar.

Die Todesursache war Strangulation. Mit Zustimmung von Richter Gantry schaltete Mr. Hogan einen Projektor ein, der ein großes Farbbild auf eine Leinwand an der den Geschworenen gegenüberliegenden Wand warf. Es zeigte Mrs. Duffy auf dem Teppichboden. Sie war gut gekleidet und wirkte völlig unversehrt, selbst ihre Füße steckten noch in hochhackigen Schuhen. Mr. Hogan erklärte, dass sie sich am Tag ihrer Ermordung, einem Donnerstag, zum Mittagessen mit ihrer Schwester verabredet hatte. Offenbar hatte sie gerade aus dem Haus gehen wollen, als sie angegriffen und getötet wurde. Danach durchsuchte der Mörder das Haus, nahm die fehlenden Gegenstände an sich und verschwand. Die Schwester versuchte in den nächsten beiden Stunden immer wieder vergeblich, Mrs. Duffy auf ihrem Handy zu erreichen, und war schließlich so beunruhigt, dass sie nach Waverly Creek fuhr, wo sie ihre Schwester fand. Für einen Tatort wirkte alles sehr friedlich. Das Opfer hätte auch bewusstlos sein können. Zunächst tippten Schwester und Polizei auf einen Herz- oder Schlaganfall oder eine andere natürliche Ursache. In Anbetracht von Mrs. Duffys Alter und ihrer guten Gesundheit wurden sie jedoch rasch misstrauisch, auch weil sie nie Drogen konsumiert hatte.

Bei der Autopsie stellte sich die tatsächliche Todesursache heraus. Der Mörder hatte Mrs. Duffy von hinten gepackt und fest auf die Halsschlagader gedrückt. Mr. Hogan legte die Finger auf seine rechte Halsschlagader.

»Zehn Sekunden fester Druck an der richtigen Stelle, und man verliert das Bewusstsein«, erklärte er. Alle warteten gespannt, ob er mitten in der Verhandlung zusammenbrechen würde, was er aber nicht tat. »Als Mrs. Duffy das Bewusstsein verlor, drückte ihr Mörder immer fester zu. Sechzig Sekunden später war sie tot. Es gibt keine Kampfspuren – keine abgebrochenen Fingernägel, keine Kratzer, nichts. Warum? Weil Mrs. Duffy ihren Mörder kannte.«

Mr. Hogan fuhr mit dramatischer Geste herum und funkelte Mr. Duffy an, der zwischen Clifford Nance und einem anderen Verteidiger saß.

»Sie kannte ihn, weil sie mit ihm verheiratet war.«

Eine lange, bedeutungsschwere Pause trat ein. Alle Augen richteten sich auf Mr. Duffy. Theo sah leider nur seinen Hinterkopf, nicht das Gesicht.

»Er konnte sich ihr so weit nähern, weil sie ihm vertraute«, fuhr Mr. Hogan fort.

Mr. Hogan stellte sich neben den Projektor und zeigte weitere Fotos. Damit veranschaulichte er das gesamte Szenario – das Innere des Hauses, Haustür, Hintertür, die direkte Nachbarschaft des Golfplatzes. Er zeigte eine Aufnahme der Haupteinfahrt von Waverly Creek mit den schweren Toren, dem Wachhäuschen und den Sicherheitskameras. Er erklärte, es sei höchst unwahrscheinlich, dass ein Eindringling, und sei er auch noch so gewieft, alle diese Sicherheitsmaßnahmen überwinden könne. Außer natürlich, der Eindringling sei gar kein Eindringling, weil er selbst in der Siedlung wohne.

Keiner der Nachbarn hatte ein unbekanntes Fahrzeug vom Haus der Duffys wegfahren sehen. Niemand hatte einen Fremden auf der Straße oder vom

Haus weglaufen sehen. Es war nichts Ungewöhnliches beobachtet worden. In den vergangenen sechs Jahren war nur in zwei Häuser in Waverly Creek eingebrochen worden. Verbrechen war in dieser ruhigen Gegend praktisch ein Fremdwort.

Am Tag des Mordes spielte Mr. Duffy Golf, wie fast jeden Donnerstag. Laut dem Computerprotokoll im Golfshop hatte er um 11.10 Uhr abgeschlagen. Er war allein, was nicht ungewöhnlich war, und benutzte wie immer sein eigenes Elektro-Golfcart. Dem Platzwart sagte er, er wolle achtzehn Löcher spielen, auf dem North Nine und dem South Nine, den beiden beliebtesten Plätzen. Das Grundstück der Duffys grenzte an den sechsten Fairway des Creek Course, eines kleineren Golfplatzes, der vor allem von Frauen bevorzugt wurde.

Mr. Duffy war ein passionierter Golfer, der die Zahl der Schläge immer auf seiner Scorekarte notierte und nie mogelte. Achtzehn Löcher zu spielen dauerte allein an die drei Stunden. Das Wetter war bewölkt, kühl und windig, was die meisten Golfspieler abschreckte. Abgesehen von einem Vierer-Flight, der um 10.20 Uhr abschlug, hielt sich um 11.10 Uhr außer ihm niemand auf den drei Plätzen auf. Eine weitere Vierergruppe schlug um 13.40 Uhr ab.

Mrs. Duffys Schwester wählte sofort den Notruf, nachdem sie das Opfer gefunden hatte. Der Anruf war um 14.14 Uhr eingegangen. Der Autopsie zufolge musste der Tod gegen 11.45 Uhr eingetreten sein.

Mithilfe eines Assistenten erstellte Mr. Hogan ein

großes Diagramm von Waverly Creek. Er markierte die drei Golfplätze, den Golfshop, die Driving Range, die Tennisplätze und andere relevante Punkte, dann zeigte er den Geschworenen, wo das Haus der Duffys am Creek Course stand. Den Untersuchungen der Staatsanwaltschaft zufolge musste sich Mr. Duffy zum Zeitpunkt der Ermordung seiner Frau am vierten oder fünften Loch von North Nine aufgehalten haben. Mit einem Golfcart wie dem von Mr. Duffy war das Haus der Duffys am sechsten Fairway von diesem Teil des Golfplatzes aus in etwa acht Minuten zu erreichen.

Peter Duffy starrte auf das Diagramm und schüttelte ungläubig den Kopf, als zweifle er an Mr. Hogans Verstand. Duffy war neunundvierzig, hatte ein dunkles, übellauniges Gesicht und dichtes, ergrauendes Haar. Mit der Hornbrille und dem braunen Anzug hätte er leicht einer der Juristen sein können.

Jack Hogan wies darauf hin, dass Mr. Duffy bekannt war, dass seine Frau zu Hause sein würde. Außerdem hatte er natürlich Zugang zu seinem eigenen Haus, hielt sich zum Tatzeitpunkt mit seinem Golfcart nur wenige Minuten vom Tatort entfernt auf und war praktisch allein auf dem Golfplatz. Die Gefahr, dass ihn jemand sah, war gering.

»Er hat es hervorragend geplant«, sagte Mr. Hogan immer wieder.

Allein die Tatsache, dass dieser kompetente Staatsanwalt immer wieder behauptete, Mr. Duffy habe seine Frau umgebracht, ließ seine Theorie schon plausibel klingen. Man muss eine Sache nur oft genug wiederholen, dann glauben einem die Leute auch. Mr. Mount war immer der Meinung gewesen, die Unschuldsvermutung sei in den heutigen Zeiten ein Witz. Man gehe grundsätzlich davon aus, dass der Angeklagte schuldig sei. Theo musste zugeben, dass er sich – zumindest während der ersten Minuten der Verhandlung – nur schwer vorstellen konnte, dass Mr. Duffy unschuldig war.

Warum hätte Mr. Duffy seine Frau umbringen sollen? Als Mr. Hogan den Geschworenen diese Frage stellte, war ihm deutlich anzumerken, dass er eine Antwort darauf wusste.

»Des Geldes wegen, meine Damen und Herren.« Mit dramatischer Geste riss er ein Dokument vom Tisch. »Das hier ist eine Lebensversicherungspolice über eine Million Dollar, die Mr. Peter Duffy vor zwei Jahren auf seine verstorbene Frau Myra Duffy abgeschlossen hat.«

Bedrückendes Schweigen. Die Schuld schien immer schwerer zu wiegen.

Mr. Hogan blätterte bei seinen Ausführungen in der Police und verlor dabei etwas an Fahrt. Als er damit fertig war, warf er das Dokument zurück auf den Tisch und verlor sich in weitschweifigen Erörterungen über Mr. Duffys verzweifelte geschäftliche Lage. Er hatte als Bauträger viel Geld verdient und wieder verloren, und als seine Frau starb, stand er unter starkem Druck seitens der Banken. Mr. Hogan versprach den Geschworenen, zu beweisen, dass dem Angeklagten Peter Duffy die Zahlungsunfähigkeit drohte.

Deswegen hatte er Bargeld gebraucht. Wie zum Beispiel aus der Lebensversicherung.

Aber das war nicht das einzige Motiv. Mr. Hogan erklärte den Geschworenen, die Duffys seien unglücklich verheiratet gewesen. In ihrer Ehe hatte es jede Menge Probleme gegeben. Zweimal hatten sie sich getrennt. Beide hatten Scheidungsanwälte konsultiert, allerdings nie die Scheidung eingereicht.

Zum Abschluss baute sich Mr. Hogan direkt vor den Geschworenen auf und sah sie mit ernster Miene an. »Das war kaltblütiger Mord, meine Damen und Herren. Perfekt geplant und mit aller Umsicht ausgeführt. Kein einziger Fehler. Keine Zeugen, keine Spuren. Nur eine schöne junge Frau, die brutal erdrosselt wurde.« Mr. Hogan schloss plötzlich die Augen und tippte sich an den Kopf. »Eins habe ich noch vergessen. Ich habe vergessen, zu erwähnen, dass Mr. Duffy vor zwei Jahren, als er die Lebensversicherung abschloss, auch anfing, allein Golf zu spielen. Bis dahin hatte er nur selten, praktisch nie, allein gespielt, das werden Ihnen seine alten Golfpartner bestätigen, die wir Ihnen hier präsentieren werden. Ist das nicht ein Zufall? Er hat die Sache zwei Jahre lang geplant. Während er sein Golfspiel unauffällig dem Zeitplan seiner Frau anpasste, konnte er in aller Ruhe abwarten. Bis das Wetter eines Tages so kalt und windig war, dass er allein auf dem Platz war. Der ideale Zeitpunkt, um nach Hause zu rasen, das Cart am Pool abzustellen und durch die Hintertür ins Haus zu laufen. ›Schatz, ich bin da‹, und dann packt er sie aus dem Hinterhalt.

Eine Minute später ist sie tot. Er hat das so lange geplant, dass er genau weiß, was zu tun ist. Er schnappt sich ihren Schmuck, seine eigenen wertvollen Uhren und die Waffen, damit die Polizei denkt, es war ein Einbruch. Sekunden später ist er wieder zur Hintertür hinaus und rast mit dem Cart über die Fairways zu Nummer fünf auf dem North-Nine-Golfplatz, wählt ein Vierer-Eisen, liefert zufällig einen Superschlag ab und bringt sein einsames Golfspiel zu Ende, wie so oft.«

Mr. Hogan legte eine Pause ein. Im Saal war es mucksmäuschenstill. Er nahm seinen Block und ging zu seinem Platz zurück. Neunzig Minuten waren vergangen.

Richter Gantry schlug mit dem Hammer auf den Tisch. »Zehn Minuten Unterbrechung.«

Mr. Mount versammelte seine Klasse am Ende eines engen Korridors im ersten Stock. Die Jungen unterhielten sich aufgeregt über das Drama, das sich soeben vor ihren Augen abgespielt hatte.

»Das ist ja besser als Fernsehen«, meinte einer von ihnen.

»Bisher habt ihr nur eine Seite der Sache gehört«, sagte Mr. Mount. »Aber nur so zum Spaß, wie viele von euch halten ihn für schuldig?«

Mindestens ein Dutzend Hände schoss in die Höhe. Theo hätte gern für schuldig gestimmt, aber er wusste, dass das voreilig gewesen wäre.

»Was ist mit der Unschuldsvermutung?«, fragte Mr. Mount.

»Der war's«, stellte Darren, der Schlagzeuger, fest. Verschiedene andere waren derselben Meinung.

»Der ist schuldig«, erklärte auch Brian, der Schwimmer.

»Damit kommt er nicht durch.«

»Alles perfekt geplant.«

»Der war's.«

»Okay«, meinte Mr. Mount. »Wir unterhalten uns in der Mittagspause noch einmal darüber, wenn ihr die Gegenseite gehört habt.«

Die Gegenseite begann mit einem Knalleffekt. Clifford Nance wartete, bis im Saal Ruhe eingekehrt war, bevor er zu den Geschworenenbänken ging. Er war um die sechzig, hatte graues Haar, das ihm bis über die Ohren reichte, einen breiten Brustkorb und massige Arme. Seine herausfordernde Haltung schien der Welt kundtun zu wollen, dass Clifford Nance keinen Konflikt scheute, weder vor Gericht noch sonst.

»Nicht die Spur eines Beweises!«, donnerte er mit tiefer, rauchiger Stimme, die von den Wänden widerhallte.

»Nicht die Spur eines Beweises!«, donnerte er gleich noch einmal, falls ihn jemand beim ersten Mal nicht gehört hatte.

Theo zuckte unwillkürlich zusammen.

»Nichts! Keine Zeugen. Keine Spuren am Tatort. Nichts als diese nette, kleine Geschichte, die Mr. Hogan Ihnen soeben aufgetischt hat. Kein Wort davon beruht auf Beweisen. Nur eine fantasievolle Version der Ereignisse, wie sie sich abgespielt haben KÖNNTEN. Vielleicht wollte Pete Duffy seine Frau umbringen. Vielleicht hat er die ganze Sache sorgfältig geplant. Vielleicht ist er über einen menschenleeren Golfplatz gerast. Vielleicht ist er genau rechtzeitig zu Hause eingetroffen, um den cleversten Mord aller Zeiten zu begehen. Vielleicht hat er dann ein paar Dinge gestohlen, die Haustür offen gelassen, ist zurück zum vierten Loch gerast und hat einfach weitergespielt. Vielleicht war es so.«

Mr. Nance ging nun langsam vor den Geschworenen auf und ab, genau im Rhythmus seiner Worte.

»Meine Damen und Herren, Mr. Hogan will von Ihnen, dass Sie sich auf Spekulationen einlassen. Vielleicht ist dies passiert, vielleicht ist das passiert. Und Sie sollen dabei mitmachen, weil er keine Beweise hat. Er hat gar nichts. Nur einen Mann, der alleine Golf spielt und sich um seine eigenen Angelegenheiten kümmert, während seine Frau keine zwei Kilometer entfernt in ihrem wunderschönen Haus ermordet wird.«

Er hielt inne und trat auf die Geschworenen zu. Ganz dicht vor einem älteren Herrn in der ersten Reihe blieb er stehen. Es sah aus, als wollte er ihm das Knie tätscheln.

Er senkte die Stimme. »Ich kann es Mr. Hogan nicht verdenken, dass er dieses Spielchen spielt. Es bleibt ihm nämlich nichts anderes übrig, weil er keine Beweise hat. Alles, was er hat, ist eine lebhafte Fantasie.«

Mr. Nance wanderte nach rechts und nahm Blickkontakt mit einer Hausfrau mittleren Alters auf. »Unsere Verfassung, unsere Gesetze, unsere Prozessordnung basieren allesamt auf dem Gedanken der Fairness. Und wissen Sie was? Für ein ›Vielleicht‹ ist da kein Platz. Unsere Gesetze sind eindeutig. Richter Gantry wird sie Ihnen später erklären. Bitte hören Sie ihm gut zu. Das Wort ›vielleicht‹ werden Sie kein einziges Mal hören. Was Sie hören werden, ist die allgemein bekannte, altehrwürdige und altmodische amerikanische Regel, die besagt, dass der Staat, wenn er jemanden eines Verbrechens beschuldigt, all seine Mittel – Ermittler, Polizei, Sachverständige, Staatsanwälte, Kriminaltechniker, all diese klugen, erfahrenen Leute – einsetzen muss, um ohne begründeten Zweifel zu beweisen, dass diese Person das Verbrechen auch wirklich begangen hat.«

Mr. Nance tat ein paar Schritte nach links und fixierte die sechs Geschworenen in der zweiten Reihe mit gewinnender Aufrichtigkeit. Er sprach ohne Notizen, seine Worte kamen flüssig, geradezu mühelos, als hätte er das alles schon tausendmal getan, dabei aber nichts von seiner Leidenschaft eingebüßt.

»Ohne begründeten Zweifel. Ohne begründeten Zweifel! Die Staatsanwaltschaft hat sich viel vorgenommen, zu viel!«

Er legte eine kurze Pause ein, während alle Anwesenden tief Luft holten. Dann ging er zum Tisch der Verteidigung und griff nach einem gelben Block, den er aber gar nicht ansah. Er war ein Schauspieler im Rampenlicht und kannte seinen Text auswendig. Er räusperte sich und fuhr dann mit voller Lautstärke fort: »Das Gesetz besagt, dass Pete Duffy nicht aussagen muss, dass er keine Zeugen zu seiner Verteidigung aufbieten muss, dass er überhaupt nichts beweisen muss. Und warum? Nun, das ist ganz einfach. Weil er durch einen unserer wichtigsten Rechtsgrundsätze geschützt wird, nämlich durch die Unschuldsvermutung.« Mr. Nance drehte sich um und zeigte auf seinen Mandanten. »Pete Duffy da drüben ist unschuldig, genau wie ich, genau wie Sie.«

Er begann wieder, langsam auf und ab zu gehen, ohne dabei die Geschworenen aus den Augen zu lassen. »Aber Pete Duffy wird aussagen. Er will aussagen. Er kann es nicht erwarten, auszusagen. Und wenn er in den Zeugenstand tritt und sich auf diesen Stuhl setzt, dann wird er unter Eid aussagen, und zwar die Wahrheit. Die Wahrheit, meine Damen und Herren, sieht nämlich ganz anders aus als die kleine Geschichte, die sich Mr. Hogan gerade ausgedacht hat. Die Wahrheit ist, meine Damen und Herren, dass Pete Duffy an jenem verhängnisvollen Tag tatsächlich Golf gespielt hat, und zwar allein, wie er es am liebsten mag. Anhand des Protokolls wird nachgewiesen werden, dass er um 11.10 Uhr abgeschlagen hat und vom ersten Abschlag in seinem eigenen Golfcart weggefahren ist, dem Cart, das er wie die meisten seiner Nachbarn in seiner Garage stehen hat. Er war allein auf dem Golfplatz, während sich seine Frau zu Hause fertig machte, um zum Mittagessen in die Stadt zu fahren.

Ein Einbrecher, ein unbekannter Krimineller, der immer noch auf freiem Fuß ist und es, so wie das hier läuft, wohl auch bleiben wird, schlich sich ins Haus, weil er irrtümlich annahm, es sei niemand daheim. Die Alarmanlage war ausgeschaltet. Haustür und Hintertür waren nicht abgeschlossen. Das war und ist in der Siedlung nichts Ungewöhnliches. Zu seiner Überraschung traf der Einbrecher auf Myra Duffy und griff sie, da er unbewaffnet war, mit bloßen Händen an. Und dann war er kein Einbrecher mehr, sondern ein Mörder.«

Mr. Nance legte eine Pause ein, ging zum Tisch der Verteidigung und griff nach einem Wasserglas. Er nahm einen langen Zug. Alle Augen hingen an ihm. Ansonsten gab es ja auch nichts zu sehen.

»Und dieser Mensch ist immer noch auf freiem Fuß!«, brüllte er plötzlich. »Oder könnte es zumindest sein«, sagte er mit einer weit ausholenden Geste, die den gesamten Sitzungssaal umfasste. »Da wir schon dabei sind: Vielleicht ist er ja hier und beobachtet den Prozess. Warum auch nicht? Von Mr. Hogan und seinen Leuten hat er ja nichts zu befürchten.«

Theo fiel auf, dass mehrere Geschworene in den Zuschauerraum sahen.

Dann schaltete Mr. Nance einen Gang zurück und fing an, über die Lebensversicherung zu reden, und vor allem über die Tatsache, dass Mr. Duffy tatsächlich eine Versicherung abgeschlossen hatte, derzufolge er beim Tod seiner Ehefrau eine Million Dollar erhielt. Allerdings hatte es eine identische Versicherungspolice für ihn gegeben, in der Mrs. Duffy als Begünstigte eingetragen war. Sie hatten einfach dasselbe getan wie die meisten Ehepaare, sich nämlich gegenseitig abgesichert. Er versprach, den Geschworenen zu beweisen, dass es um Pete Duffys Geschäfte keineswegs so schlecht bestellt war, wie Mr. Hogan behauptete. Er gab zu, dass es in der Ehe der Duffys gekriselt hatte und dass sich beide mehrfach getrennt hatten. Keiner von beiden hatte jedoch die Scheidung eingereicht. Im Gegenteil, sie hatten beschlossen, an ihren Problemen zu arbeiten.

Mr. Mount saß auf der Galerie in der zweiten Reihe hinter seinen Schülern. Er hatte bewusst einen Platz gewählt, von dem aus er gegebenenfalls alle sechzehn im Blick hatte. Bisher hatten sie den Eröffnungsplädoyers wie gebannt gelauscht. Erwartungsgemäß war Theo noch engagierter als die anderen. Er war genau da, wo er sein wollte.

Als Mr. Nance fertig war, unterbrach Richter Gantry, um eine vorzeitige Mittagspause einzulegen.

Sechs

Die Sozialkundeklasse überquerte die Main Street und ging in Richtung Osten, zum Fluss. Mr. Mount blieb ein oder zwei Schritte hinter den Jungen und hörte sich belustigt an, wie sie miteinander diskutierten, wobei manche von ihnen Formulierungen und Ausdrücke verwendeten, die sie gerade bei den echten Juristen gehört hatten.

»Hier entlang«, sagte er, und die ganze Gruppe bog nach links in eine schmale Seitenstraße ein. Im Gänsemarsch betraten sie Pappy's, einen Imbiss, der für seine Pastrami-Sandwichs und Zwiebelringe berühmt war. Es war zehn Minuten vor zwölf, und sie hatten es noch vor der Stoßzeit geschafft. Sie bestellten schnell und versammelten sich dann um einen langen Tisch in der Nähe des Schaufensters.

»Wer war besser – Staatsanwalt oder Verteidiger?«, fragte Mr. Mount.

Mindestens zehn Stimmen antworteten auf einmal. Jack Hogan und Clifford Nance lagen gleichauf.

Mr. Mount provozierte mit Fragen: »Welcher war glaubwürdiger? Wem würdet ihr vertrauen? Wen fanden die Geschworenen überzeugender?«

Dann kam das Essen, und das Gespräch geriet abrupt ins Stocken.

»Stimmen wir ab«, sagte Mr. Mount. »Ihr müsst euch entscheiden. Enthaltungen gibt es nicht. Hebt die Hand, wenn ihr Mr. Duffy für schuldig haltet.«

Er zählte zehn Hände. »Und jetzt nicht schuldig.«

Fünf Hände hoben sich. »Theo, ich habe gesagt, du musst abstimmen.«

»Tut mir leid, aber das kann ich nicht. Ich glaube, er ist schuldig, aber ich sehe nicht, wie die Staatsanwaltschaft das beweisen könnte. Höchstens ein Motiv können sie ihm nachweisen.«

»Das große Vielleicht?«, meinte Mr. Mount. »Ich fand das sehr wirkungsvoll.«

»Theo hat recht«, sagte Aaron. »Es sieht so aus, als ob er schuldig wäre, aber die Staatsanwaltschaft kann noch nicht einmal beweisen, dass er am Tatort war.«

»Das könnte allerdings ein gewaltiges Problem werden«, sagte Mr. Mount.

»Was ist mit dem Diebesgut: dem Schmuck, den Uhren und Waffen?«, fragte Edward. »Ist das gefunden worden? Das wurde überhaupt nicht erwähnt.«

»Keine Ahnung, aber die Eröffnungsplädoyers gehen nicht so ins Detail.«

»Dafür kamen sie mir aber ziemlich lang vor«, meinte Theo.

»Wer ist der erste Zeuge?«, wollte Chase wissen.

»Ich habe die Zeugenliste nicht gesehen«, erwiderte Mr. Mount, »aber normalerweise fangen sie mit dem Tatort an. Wahrscheinlich ist es einer der Ermittler.«

»Cool.«

»Bis wann können wir heute bleiben, Mr. Mount?«

»Um halb vier müssen wir wieder in der Schule sein.«

»Wie lange dauert die Verhandlung?«

»Richter Gantry arbeitet normalerweise lange«, warf Theo ein. »Mindestens bis fünf.«

»Können wir morgen wieder ins Gericht gehen, Mr. Mount?«

»Leider nicht. Die Exkursion ist nur für einen Tag genehmigt. Ihr habt nämlich noch andere Fächer. Keins davon ist so spannend wie meins, aber das ist nur meine ganz persönliche Meinung.«

Der Imbiss war plötzlich rappelvoll, die Schlange reichte bis auf die Straße. Mr. Mount drängte die Schüler aufzuessen. Pappy, der Inhaber, war dafür bekannt, dass er ruppig wurde, wenn Leute Tische zu lange besetzt hielten.

Sie schlenderten durch die Main Street, die nun sehr belebt war: Überall waren Angestellte unterwegs, die ihre Mittagspause nutzen wollten. An einem Brunnen saß eine ganze Gruppe, die sich unterhielt und die Sonne genoss, während sie ihr Mittagessen verzehrte. Mr. Peacock, der uralte Verkehrspolizist, dirigierte mit seiner abgenutzten Trillerpfeife und gelben Handschuhen den Verkehr. Dabei gelang es ihm, Unfälle zu vermeiden, was er selbst allerdings nicht immer schaffte. Direkt vor ihnen kam eine Gruppe Männer in dunklen Anzügen aus einem Gebäude und schlug dieselbe Richtung ein wie die Schüler.

»Seht mal, Männer«, flüsterte Mr. Mount laut, »da ist Mr. Duffy mit seinen Anwälten.«

Die Jungen verlangsamten für einen Augenblick das Tempo, als sich die Gruppe Anzugträger vor ihnen in den Fußgängerstrom einreihte: Pete Duffy, Clifford Nance, zwei andere Anwälte mit ernsten Mienen und ein fünfter Mann, den Theo am Morgen nicht im Gericht gesehen hatte, dessen Name ihm aber durchaus geläufig war. Er hieß Omar Cheepe und war kein Anwalt, obwohl er in Juristenkreisen wohlbekannt war. Mr. Cheepe war ein ehemaliger FBI-Agent oder so etwas Ähnliches, der sich selbstständig gemacht hatte. Er hatte sich auf Ermittlungen, Überwachungen und andere Tätigkeiten spezialisiert, die Anwälte von Zeit zu Zeit in Anspruch nehmen mussten.

Einmal war es zwischen ihm und Mrs. Boone in einer Scheidungssache zu einem hässlichen Streit gekommen, und Omar Cheepe war als »bewaffneter Gangster« und »unverbesserlicher Rechtsbrecher« bezeichnet worden. Diese Kommentare waren natürlich nicht für Theos Ohren bestimmt gewesen, aber der hörte viel von dem, was in der Kanzlei vor sich ging. Er war Mr. Cheepe nie persönlich begegnet, hatte ihn jedoch im Gericht gesehen. Böse Zungen behaupteten, dass jemand, der Omar Cheepe beschäftigte, grundsätzlich schuldig war.

Cheepe sah Theo direkt an. Er war breit und kräftig gebaut, den großen runden Schädel trug er kahlrasiert. Omar Cheepe wollte bedrohlich aussehen, und das gelang ihm. Dann wandte er sich ab und eilte Duffy nach.

Die Jungen, die in einer lockeren Gruppe gingen, mussten sich beeilen, um auf dem Weg durch die Main Street mit dem Angeklagten und seinem Team Schritt halten zu können. Omar Cheepes breiter Rücken deckte Pete Duffy von hinten, als hätte er Angst, dass jemand auf ihn schoss. Clifford Nance gab eine witzige Anekdote zum Besten, und die Männer lachten herzlich.

Am lautesten lachte Pete Duffy. Schuldig. Theo verstand selbst nicht, warum er sich da so sicher war, obwohl noch kein einziger Zeuge ausgesagt hatte. Dabei war er eigentlich vom Prinzip der Unschuldsvermutung überzeugt.

Schuldig, wiederholte Theo in Gedanken. Warum konnte er sich nicht an das Gesetz halten und im Zweifel für den Angeklagten sein, wie es sich für einen guten Juristen gehörte? Frustriert trottete er hinter Duffy und seinen Anwälten her.

Irgendwas stimmte mit diesem Fall nicht. Wenn er von dem ausging, was bisher in der Verhandlung gesagt worden war, musste er sich wohl darauf einstellen, dass das Rätsel vielleicht nie gelöst wurde.

Sie nahmen ihre Plätze in der vordersten Reihe rechts auf der Galerie wieder ein und warteten, dass sich das Mittagessen setzte. Richter Gantry hatte die Mittagspause bis 13.00 Uhr angesetzt, bis dahin fehlten noch fünfzehn Minuten.

Mr. Gossett, der alte Gerichtsdiener, kam angewatschelt. »Theo.«

»Ja, Sir.«

»Ist das deine Klasse?«

Was sonst, Mr. Gossett? Ein Lehrer, sechzehn Schüler? »Ja, Sir.«

»Ihr sollt zu Richter Gantry ins Richterzimmer kommen. Aber schnell. Er ist ein viel beschäftigter Mann.«

Theo verschlug es die Sprache. Fragend deutete er auf sich selbst.

»Die ganze Klasse«, fuhr Mr. Gossett fort. »Aber beeilt euch.«

Das Richterzimmer war ein Büro, das hinter dem Richtertisch an den Sitzungssaal angrenzte. Es war jedoch nicht Richter Gantrys eigentliches Büro – das befand sich ein paar Türen weiter auf demselben Gang. Eine verwirrende Sache, die Theo gerade zu erklären versuchte, als Mr. Gossett die Tür zu einem langen, holzvertäfelten Raum öffnete, an dessen Wänden historische Porträts alter bärtiger Richter hingen. Richter Gantry, der die schwarze Robe abgelegt hatte, erhob sich hinter seinem Schreibtisch und trat vor, um die Jungen zu begrüßen.

»Hallo, Theo«, sagte er, was Theo ein wenig peinlich war. Die anderen Schüler schwiegen ehrfürchtig.

»Und Sie müssen Mr. Mount sein.« Die beiden Männer schüttelten sich die Hand.

»Genau. Und das ist die achte Klasse, die ich in Sozialkunde unterrichte.«

Da es nicht ausreichend Sitzplätze für alle gab, unterhielt sich Richter Gantry mit den Jungen im Stehen. »Schön, dass ihr gekommen seid. Ich finde es wichtig, dass unsere Schüler das Rechtssystem in Aktion sehen. Was meint ihr bis jetzt?«

Keiner der sechzehn brachte ein Wort heraus. Was hätten sie auch sagen sollen?

Mr. Mount kam ihnen zu Hilfe. »Sie finden den Prozess faszinierend. Wir haben gerade beim Mittagessen unsere Eindrücke ausgetauscht, uns über die Geschworenen unterhalten und darüber geredet, wer den Angeklagten für schuldig hält und wer nicht.«

»Da frage ich lieber nicht. Aber die Juristen hier verstehen ihr Handwerk, meint ihr nicht?«

Alle sechzehn nickten.

»Stimmt es, dass Theo Boone Rechtsberatung leistet?«

Ein paar nervöse Lacher. Theo war zugleich verlegen und stolz. »Ja, aber ich verlange nichts dafür«, sagte er. Noch ein paar Lacher.

»Noch Fragen zur Verhandlung?«, erkundigte sich Richter Gantry.

»Ja, Sir.« Das war Brandon. »Im Fernsehen tauchen immer wieder Zeugen aus dem Nichts auf, die den gesamten Verlauf der Verhandlung verändern. Muss man hier auch mit so was rechnen? Sonst steht die Anklage nämlich auf ziemlich wackligen Beinen.«

»Gute Frage, Junge. Die Antwort ist Nein. Unsere Prozessordnung erlaubt keine Überraschungszeugen. Das wird im Fernsehen völlig falsch dargestellt. Im richtigen Leben muss jede Seite vor Verhandlungsbeginn eine Liste aller potenziellen Zeugen vorlegen.«

»Wer ist der erste Zeuge?«, erkundigte sich Jarvis.

»Die Schwester des Opfers, die Dame, die die Tote gefunden hat. Danach kommen die Beamten der Mordkommission. Wie lange könnt ihr heute bleiben?«

»Wir müssen um halb vier wieder in der Schule sein«, erklärte Mr. Mount.

»In Ordnung. Ich mache um drei eine Pause, dann könnt ihr gehen. Wie sind die Plätze oben auf der Galerie?«

»Super. Vielen Dank.«

»Ihr sitzt jetzt unten. Es sind etwas weniger Zuschauer geworden. Und nochmals vielen Dank für euer Interesse an unserem Rechtssystem. Das ist für eine funktionierende Demokratie sehr wichtig.« Damit waren sie entlassen.

Die Schüler bedankten sich, und Mr. Mount schüttelte dem Richter erneut die Hand.

Mr. Gossett führte sie aus dem Richterzimmer zurück in den Sitzungssaal, diesmal durch den Hauptgang und in die zweite Reihe hinter dem Tisch der Anklage. Vor ihnen saßen die beiden jungen Männer, die als Söhne von Mrs. Duffy vorgestellt worden waren. Die Staatsanwälte waren nur wenige Schritte von ihnen entfernt. Auf der anderen Seite des Ganges hatte Omar Cheepe hinter Pete Duffy Platz genommen. Seine schwarzen Augen wanderten aufmerksam durch den Sitzungssaal, als rechnete er damit, jederzeit auf jemanden schießen zu müssen. Wieder sah er Theo direkt an.

Sie waren von den billigen Plätzen zu Logenplätzen aufgestiegen und konnten ihr Glück kaum fassen.

Direkt neben Theo, so dicht, dass sich ihre Ellbogen berührten, saß Chase, der verrückte Professor.

»Hast du deine Beziehungen spielen lassen, Theo?«, flüsterte er.

»Nein, ich verstehe mich einfach ziemlich gut mit Richter Gantry.«

»Cool.«

Punkt 13.00 Uhr erhob sich der Gerichtsdiener am Richtertisch. »Die Sitzung wird fortgesetzt. Bitte behalten Sie Platz.«

Richter Gantry erschien in seiner Robe und setzte sich.

»Die Anklage kann ihre erste Zeugin aufrufen«, sagte er an Jack Hogan gewandt.

Durch eine Seitentür eskortierte ein anderer Gerichtsdiener eine gut gekleidete Dame in den Sitzungssaal und zum Zeugenstand. Sie legte die Hand auf die Bibel und schwor, die Wahrheit zu sagen. Als sie saß und das Mikrofon richtig eingestellt war, begann Mr. Hogan mit der Befragung.

Ihr Name war Emily Green, und sie war die Schwester von Myra Duffy. Sie war vierundvierzig, lebte in Strattenburg, arbeitete als Fitnesstrainerin und hatte am Tag des Mordes genau das getan, was Mr. Hogan in seinem Eröffnungsplädoyer beschrieben hatte. Als ihre Schwester nicht zum Mittagessen erschien und auch nicht anrief, wurde sie nervös und geriet allmählich in Panik. Sie versuchte mehrfach, Myra Duffy auf dem Handy zu erreichen, und raste dann nach Waverly Creek, wo sie ihre Schwester leblos auf dem Wohnzimmerteppich ihres eigenen Hauses fand.

Zumindest für Theo war offensichtlich, dass Mr. Hogan und Ms. Green ihre Aussage sorgfältig geübt hatten. Es ging darum, das Auffinden der Leiche zu beschreiben und Sympathien zu wecken. Als sie fertig waren, erhob sich Clifford Nance und erklärte, er verzichte auf ein Kreuzverhör.

Ms. Green wurde entlassen und setzte sich neben ihre beiden Neffen in die erste Reihe, direkt vor Mr. Mounts Klasse.

Der nächste Zeuge war Detective Krone von der Mordkommission. Mithilfe der großen Leinwand und des Projektors schilderte er gemeinsam mit Jack Hogan die Wohnanlage, das Haus der Duffys und den Tatort. Verschiedene wichtige Fakten wurden festgestellt, die den Geschworenen allerdings bereits bekannt waren. Die Haustür hatte offen gestanden. Die Hintertür und die Seitentür zum Garten waren nicht abgesperrt gewesen, die Alarmanlage nicht eingeschaltet.

Aber es gab auch neue Fakten. Im Haus waren die Fingerabdrücke von Mr. Duffy, Mrs. Duffy und der Haushälterin gefunden worden, was allerdings zu erwarten war. An Türklinken, Fenstern, Telefonen, Schubladen, Schmuckkästchen und der antiken Mahagonischatulle, in der Mr. Duffy seine wertvollen Uhren aufbewahrte, waren keine anderen Abdrücke gefunden worden. Das konnte zweierlei bedeuten: Der Einbrecher/Mörder konnte Handschuhe getragen bzw. seine Fingerabdrücke sorgfältig abgewischt haben, oder der Mord war von Mr. Duffy oder der Haushälterin begangen worden. Die Haushälterin hatte am Tag des Mordes freigehabt und war mit ihrem Mann weggefahren.

Die Person, die sich Schmuck, Waffen und Uhren angeeignet hatte, hatte auch verschiedene andere Schranktüren und Schubladen aufgerissen und Gegenstände auf den Boden geworfen. Detective Krone, dessen Vortrag ziemlich eintönig war, ging systematisch die Fotos von der Zerstörung durch, die der Dieb/Mörder hinterlassen hatte.

Zum ersten Mal zog sich die Verhandlung in die Länge. Mr. Mount merkte, dass einige Jungen unruhig wurden. Mehrere Geschworene wirkten schläfrig.

Um Punkt 15.00 Uhr schlug Richter Gantry mit dem Hammer auf den Tisch und unterbrach die Verhandlung für fünfzehn Minuten. Der Saal leerte sich rasch. Alle brauchten eine Pause. Theo und seine Freunde stiegen vor dem Gericht in einen kleinen gelben Bus und waren zehn Minuten später pünktlich zum Unterrichtsschluss wieder in der Schule.

Eine halbe Stunde, nachdem er das Gericht verlassen hatte, war Theo zurück. Er sprintete die Treppe in den zweiten Stock hinauf. Vom Krieg der Finnemores war nichts zu sehen – keine Anwälte im Gang, keine Spur von April. Am Vorabend hatte sie weder angerufen noch auf seine E-Mails geantwortet, und auf Facebook hatte sie auch nichts geschrieben. Ihre Eltern erlaubten ihr kein Handy, sodass sie auch keine SMS schicken konnte. Das war aber nicht ungewöhnlich. Etwa die Hälfte der Achtklässler an seiner Schule hatte kein Handy.

Theo sauste nach unten in den ersten Stock, betrat unter dem argwöhnischen Blick von »Sheriff« Gossett den Sitzungssaal und setzte sich in die dritte Reihe hinter dem Tisch der Verteidigung. Der Angeklagte, Mr. Duffy, saß keine sechs Meter von ihm entfernt. Theo konnte hören, wie sich seine Anwälte wichtige Mitteilungen zuflüsterten. Omar Cheepe war auch noch da und registrierte, dass Theo wieder im Saal saß. Als erfahrener Beobachter nahm Cheepe jede Bewegung wahr, bei ihm wirkte das jedoch so beiläufig, als wäre es ihm im Grunde egal.

Der Zeuge war ein Arzt, der Rechtsmediziner, der die Autopsie des Opfers vorgenommen hatte. Er benutzte ein großes Farbdiagramm, das einen menschlichen Körper von der Brust aufwärts mit Betonung des Halses zeigte. Theo achtete mehr auf Clifford Nance als auf den Zeugen. Er beobachtete, wie Mr. Nance der Aussage konzentriert lauschte, sich Notizen machte und dabei ständig zu den Geschworenen hinübersah. Ihm schien nichts im Saal zu entgehen. Er wirkte entspannt und selbstbewusst, aber immer zum Angriff bereit.

Sein Kreuzverhör des Arztes war kurz und brachte keine neuen Erkenntnisse. Bisher schien Mr. Nance damit zufrieden zu sein, die Aussagen der Zeugen der Anklage zur Kenntnis zu nehmen. Die große Show hob er sich für später auf.

Kurz nach 17.00 Uhr vertagte Richter Gantry die Verhandlung. Bevor er die Geschworenen entließ, warnte er sie erneut davor, den Fall mit irgendwem zu besprechen. Nachdem sie den Saal verlassen hatten, gingen auch die anderen. Theo blieb zurück und sah zu, wie die Juristen ihre Akten und Bücher wieder in dicken Aktentaschen verstauten, wobei sie sich in gedämpftem Ton unterhielten. Über den Gang hinweg wurden ein paar Worte gewechselt. Jack Hogan sagte etwas zu Clifford Nance, und beide Männer lachten. Ihre Untergebenen stimmten ein. »Sollen wir noch was trinken gehen?«, fragte irgendjemand.

Eben noch Feinde, jetzt Kumpel. Theo kannte das von früher. Seine Mutter hatte versucht, ihm zu erklären, dass Staatsanwälte und Verteidiger dafür bezahlt wurden, gute Arbeit zu leisten. Dazu mussten sie ihre persönlichen Gefühle sozusagen an der Garderobe abgeben. *Echte Profis verlieren nie die Beherrschung und sind nicht nachtragend,* hatte sie gesagt.

Ike fand, das sei Blödsinn. Er sah auf die meisten Juristen der Stadt herab.

Omar Cheepe lachte nicht und wurde auch nicht auf einen Drink mit der Gegenseite eingeladen. Er und Pete Duffy verschwanden eilig durch eine Seitentür.

Sieben

Dienstagabend aßen sie immer in einer Suppenküche. Es war nicht das schlechteste Essen der Woche. Das gab es am Sonntagabend, wenn seine Mutter versuchte, ein Brathähnchen zuzubereiten. Aber besonders gut war es auch nicht.

Die Suppenküche hieß nur so. Der Raum war keine richtige Küche, und es gab auch nur selten Suppe. Es handelte sich um einen großen Speisesaal im Keller einer umgebauten Kirche, in dem Obdachlose ein Essen und ein Bett für die Nacht bekamen. Die Mahlzeiten wurden von Freiwilligen zubereitet und bestanden meistens aus belegten Broten, Pommes frites, Obst und Keksen.

»Tütenessen«, nannte Theos Mutter das. Nicht gerade gesund.

Theo hatte gehört, dass es in Strattenburg um die dreihundert Obdachlose gab. Er sah sie auf der Main Street, wo sie um Geld bettelten und auf den Bänken schliefen. Er sah sie Mülltonnen nach Essen durchwühlen. Die Stadt war beunruhigt, weil es so viele waren und die Unterkünfte nicht ausreichten. Der Stadtrat schien jede Woche über das Thema zu streiten.

Mrs. Boone war auch beunruhigt. Das Schicksal obdachloser Mütter beschäftigte sie so sehr, dass sie ein Programm für die Opfer häuslicher Gewalt ins Leben gerufen hatte. Für Frauen, die geschlagen und bedroht wurden. Frauen, die keine Wohnung hatten, die niemanden hatten, an den sie sich wenden konnten. Frauen mit Kindern, die Hilfe brauchten und nicht wussten, wo sie sie finden konnten. Mrs. Boone hatte gemeinsam mit ein paar anderen Anwältinnen eine kleine Anwaltskanzlei gegründet, die diesen Frauen weiterhalf.

Und so ging Familie Boone jeden Dienstagabend von ihrem Büro in der Innenstadt ein paar hundert Meter zur Obdachlosenunterkunft in der Highland Street, wo sie drei Stunden mit vom Schicksal weniger begünstigten Mitmenschen verbrachte. Abwechselnd servierten sie den etwa Hundert dort Versammelten das Abendessen, bevor sie sich selbst einen schnellen Imbiss gönnten.

Obwohl das eigentlich nicht für seine Ohren bestimmt war, hatte Theo seine Eltern darüber sprechen hören, ob sie ihre monatliche Spende an die Obdachlosenunterkunft von zweihundert auf dreihundert Dollar erhöhen sollten. Seine Eltern waren keineswegs wohlhabend. Seine Freunde hielten ihn für reich, weil seine Eltern beide Anwälte waren, aber so viel verdienten sie gar nicht. Sie lebten bescheiden, sparten für Theos Ausbildung und waren froh, wenn sie Bedürftigen helfen konnten.

Nach dem Abendessen richtete Mr. Boone am hinteren Ende des Speisesaals eine improvisierte Kanzlei ein, die von einigen Obdachlosen aufgesucht wurde. Er half ihnen bei ihren Problemen, die meistens darin bestanden, dass ihre Wohnung zwangsgeräumt worden war oder dass ihnen Essensmarken und ärztliche Behandlung verweigert wurden. Oft meinte er, diese Leute seien seine liebsten Mandanten. Da sie kein Honorar zahlen konnten, musste er es auch nicht eintreiben. Sie waren für alles dankbar, was er für sie tat. Und er genoss die Gespräche mit ihnen.

Da ihre Arbeit heikler war, empfing Mrs. Boone ihre Mandantinnen in einem kleinen Raum im Erdgeschoss. Die erste Mandantin hatte zwei kleine Kinder, keine Arbeit, kein Geld und, bis auf die Obdachlosenunterkunft, keinen Ort, an dem sie die Nacht hätte verbringen können.

Theos Job war die Hausaufgabenbetreuung. In der Obdachlosenunterkunft lebten mehrere Familien, die bis zu zwölf Monate dort bleiben durften – das war in der Highland Street die Obergrenze. Nach einem Jahr mussten sie ausziehen. Die meisten von ihnen fanden irgendwann Arbeit und eine Wohnung, aber das dauerte. Während sie in der Unterkunft lebten, wurden sie wie ganz normale Bürger von Strattenburg behandelt. Für Essen, Kleidung und ärztliche Versorgung war gesorgt. Entweder hatten sie Arbeit oder waren auf der Suche. Sie wurden von den Kirchengemeinden zum Gottesdienst eingeladen.

Ihre Kinder gingen auf die örtlichen Schulen. Abends wurde in der Unterkunft durch Freiwillige einer Kirchengemeinde eine Hausaufgabenbetreuung organisiert. Theo brachte jeden Dienstag zwei Zweitklässlern namens Hector und Rita Englisch bei und gab ihrem Bruder Nachhilfe in Algebra. Sie kamen aus El Salvador, und ihr Vater war unter ungeklärten Umständen verschwunden. Danach waren sie auf der Straße gelandet.

Als die Polizei sie fand, hausten sie mit ihrer Mutter unter einer Brücke.

Wie immer freuten sich Hector und Rita wie verrückt, als sie Theo sahen, und hängten sich an ihn, während er versuchte, sein belegtes Brot herunterzuschlingen. Dann rannten sie durch den Gang zu einem großen offenen Raum, in dem bereits andere Kinder beaufsichtigt wurden.

»Kein Spanisch«, sagte er mehrfach. »Nur Englisch.«

Ihre Englischkenntnisse faszinierten ihn. Sie nahmen sie jeden Tag in der Schule auf wie ein Schwamm und brachten es ihrer Mutter bei. Nun suchten sie sich einen Ecktisch, und Theo las ihnen aus einem Bilderbuch vor, das von einem Frosch handelte, der aufs Meer hinausgetrieben worden war.

Mrs. Boone hatte darauf bestanden, dass Theo in der vierten Klasse mit Spanisch anfing, sobald es in der Schule angeboten wurde. Als sich der Unterricht als zu einfach erwies, engagierte sie einen Privatlehrer, der zweimal pro Woche in der Kanzlei vorbeikam und Theo ordentlich an die Kandare nahm. Unter dem sanften Druck seiner Mutter und mit dem Vorbild von Madame Monique, das er jeden Tag vor Augen hatte, lernte Theo schnell.

Er las eine Seite und ließ sie dann von Rita lesen. Dann von Hector. Theo korrigierte ihre Fehler und nahm sich die nächste Seite vor. Im Raum ging es laut, geradezu chaotisch zu. Immerhin versuchten an die zwei Dutzend Schüler aller Altersstufen, hier ihre Hausaufgaben zu erledigen.

Die Zwillinge hatten einen älteren Bruder namens Julio, einen Siebtklässler, den Theo gelegentlich im Schulhof sah. Er war so schüchtern, dass es beinahe unangenehm war. Mrs. Boone führte das darauf zurück, dass er seinen Vater in einem fremden Land verloren hatte und sich an niemanden wenden konnte.

Sie hatte immer eine Theorie, wenn sich jemand merkwürdig verhielt.

Nachdem Theo das zweite Buch mit Hector und Rita gelesen hatte, setzte sich Julio zu ihnen.

»Was gibt's?«, fragte Theo.

Julio lächelte, wich seinem Blick aber aus.

»Ich will noch ein Buch lesen«, sagte Hector.

»Gleich.«

»Ich komme mit Algebra nicht zurecht«, erklärte Julio. »Kannst du mir helfen?«

»Theo kümmert sich aber jetzt um uns«, behauptete Rita streitlustig.

Theo nahm zwei Bücher aus einem Regal und legte sie vor Hector und Rita auf den Tisch. Dann legte er jedem einen Block und einen Bleistift hin. »Ihr lest jetzt diese Bücher«, sagte er. »Und zwar laut. Wenn ihr ein Wort seht, das ihr nicht kennt, schreibt ihr es auf. Okay?«

Sie rissen die Bücher auf, als gäbe es etwas zu gewinnen.

Und Theo und Julio waren bald in die Welt der Algebra versunken.

Um 22.00 Uhr saßen die Boones zu Hause vor dem Fernseher. Judge schlief auf dem Sofa, mit dem Kopf in Theos Schoß. Der Duffy-Mord war die einzige Neuigkeit in Strattenburg, und die beiden Fernsehsender der Stadt berichteten über nichts anderes. Es wurde ein Video von Pete Duffy gezeigt, wie er umgeben von Anwälten und deren Gehilfen und anderen Männer in dunklen Anzügen mit düsterer Miene ins Gerichtsgebäude marschierte. Ein Reporter, der vor dem Gericht stand, ratterte eine Kurzfassung der bisherigen Ereignisse herunter. Richter Gantry hatte eine Schweigepflicht verhängt, die Anklage, Verteidigung, Polizeibeamten und Zeugen jede Äußerung untersagte.

Außerdem hatte Richter Gantry Kameras aus seinem Gerichtssaal verbannt. Die Nachrichtencrews mussten draußen bleiben.

Theo kannte kein anderes Thema, und seine Eltern hegten wie er den Verdacht, dass Pete Duffy schuldig war. Allerdings würde das schwer zu beweisen sein.

Während einer Werbepause fing Theo an zu husten. Als seine Eltern ihn nicht beachteten, hustete er noch mehr. »Ich habe Halsschmerzen«, stellte er schließlich fest.

»Du siehst blass aus«, meinte sein Vater. »Du brütest wohl was aus.«

»Mir geht's gar nicht gut.«

»Hast du rote Augen?«, fragte sein Vater.

»Glaub schon.«

»Kopfschmerzen?«

»Ja, aber nicht so schlimm.«

»Läuft dir die Nase?«

»Ja.«

»Seit wann denn das?«, erkundigte sich seine Mutter.

»Du bist ja wirklich furchtbar krank«, stellte sein Vater fest. »Da gehst du wohl besser nicht zur Schule, damit du niemanden ansteckst. Stattdessen setzt du dich in die Duffy-Verhandlung. Was meinst du, Mom?«

»Verstehe«, sagte sie. »Eine plötzliche Grippeattacke.«

»Wahrscheinlich einer dieser hässlichen 24-Stunden-Viren, die wie durch ein Wunder geheilt sind, wenn die Schule aus ist«, vermutete sein Vater.

»Ich fühle mich echt nicht gut«, behauptete Theo, der sich entlarvt sah, aber nicht so schnell aufgeben wollte.

»Nimm ein Aspirin, und lutsch ein Hustenbonbon«, schlug sein Vater vor. Woods Boone ging selten zum Arzt und war davon überzeugt, dass die meisten Menschen viel zu viel Geld für Medikamente ausgaben.

»Kannst du nochmal husten, Teddy?«, fragte seine Mutter, die etwas mehr Mitgefühl für ihren Sohn hegte. Leider war Theo bekannt dafür, dass er gern krankmachte, wenn er Besseres zu tun hatte, als zur Schule zu gehen.

Sein Vater brach in Gelächter aus. »Das klang ja nicht gerade überzeugend, Theo, noch nicht einmal für dich.«

»Und wenn ich sterbe?« Theo konnte sich das Lachen selbst kaum noch verkneifen.

»Tust du nicht«, erwiderte sein Vater. »Und wenn du dich morgen im Sitzungssaal blicken lässt, sorgt Richter Gantry dafür, dass du als Schulschwänzer festgenommen wirst.«

»Kennt ihr einen guten Anwalt?«, konterte Theo. Seine Mutter prustete vor Lachen, und schließlich fand auch Woods die Sache amüsant.

»Ab ins Bett«, sagte er.

Geschlagen schleppte sich Theo mit Judge im Kielwasser die Treppe hinauf. Im Bett klappte er seinen Laptop auf und versuchte, April zu kontaktieren. Er war froh, als sie antwortete.

APRILINPARIS: *Hi, Theo. Wie geht's?*

TBOONELAW: *Geht so. Wo bist du?*

APRILINPARIS: *Zu Hause. Hab mich in meinem Zimmer eingeschlossen.*

TBOONELAW: *Wo ist deine Mutter?*

APRILINPARIS: *Unten. Wir reden nicht miteinander.*

TBOONELAW: *Warst du in der Schule?*

APRILINPARIS: *Nein, die Verhandlung hat bis Mittag gedauert. Ich bin so froh, dass das vorbei ist.*

TBOONELAW: *Wie war es als Zeugin?*

APRILINPARIS: *Furchtbar. Ich musste weinen, Theo. Ich konnte gar nicht mehr aufhören. Ich habe dem Richter gesagt, dass ich weder bei meiner Mutter noch bei meinem Vater leben will. Ihr Anwalt hat mir Fragen gestellt, sein Anwalt hat mir Fragen gestellt. Es war grauenhaft.*

TBOONELAW: *Tut mir leid.*

APRILINPARIS: *Ich verstehe nicht, wieso du Anwalt werden willst.*

TBOONELAW: *Um Leuten wie dir zu helfen. Dafür sind gute Anwälte nämlich da. Warst du mit dem Richter zufrieden?*

APRILINPARIS: *Ich war mit gar nichts zufrieden.*

TBOONELAW: *Meine Mutter sagt, er ist gut. Hat er entschieden, wer das Sorgerecht für dich bekommt?*

APRILINPARIS: *Nein. Er hat gesagt, das dauert ein paar Tage. Im Augenblick wohne ich bei meiner Mutter, und ihr Anwalt meint, dabei wird es bleiben.*

TBOONELAW: *Kann gut sein. Gehst du morgen zur Schule?*

APRILINPARIS: *Ja, und ich habe seit einer Woche keine Hausaufgaben mehr gemacht.*

TBOONELAW: *Bis morgen dann.*

APRILINPARIS: *Danke, Theo.*

Eine Stunde später lag er immer noch wach und zermarterte sich das Gehirn über April und den Duffy-Prozess.

Acht

Julio wartete auf Theo, als dieser am Fahrradständer vor der Schule vom Rad sprang.

»*Hola,* Julio. *Buenos días.*«

»*Hola,* Theo.«

Theo schlang die Kette um das Vorderrad und ließ das Schloss einschnappen. Er fand das mit der Kette noch immer frustrierend. Bis vor einem Jahr hatte sich in Strattenburg niemand über sein Fahrrad Gedanken machen müssen. Keiner hatte ein Schloss. Dann verschwanden zunehmend Fahrräder, und die Eltern bestanden darauf, dass die Räder gesichert wurden.

»Danke für deine Hilfe gestern«, sagte Julio. Sein Englisch war gut, aber er hatte nach wie vor einen starken Akzent. Die Tatsache, dass er Theo in der Schule angesprochen hatte, war ein großer Fortschritt. Zumindest fand Theo das.

»Keine Ursache. Jederzeit wieder.«

Julio sah sich um. Die Schüler, die mit dem Bus gekommen waren, schoben sich dicht gedrängt durch die Eingangstür. »Du kennst dich doch mit Recht aus, Theo.«

»Meine Eltern sind beide Anwälte.«

»Polizei, Gerichte, all das?«

Theo zuckte die Achseln. Er stritt nie ab, dass er solide Rechtskenntnisse besaß. »Ich weiß ziemlich viel. Was ist los?«

»Dieser große Prozess – ich glaube, der Mann heißt Duffy.«

»Ja, er ist wegen Mordes angeklagt. Und es ist wirklich ein großer Prozess.«

»Kann ich mit dir darüber reden?«

»Klar«, erwiderte Theo. »Darf ich fragen, warum?«

»Weil ich vielleicht was weiß.«

Theo sah ihn prüfend an. Julio wandte den Blick ab, als hätte er sich etwas zuschulden kommen lassen. Ein Lehrer forderte die Schüler lautstark auf, endlich in den Unterricht zu gehen. Theo und Julio nahmen Kurs auf die Tür.

»Wir treffen uns in der Mittagspause«, sagte Theo.

»Gut. Danke.«

»Keine Ursache.«

Als ob Theo nicht schon genug über den Duffy-Prozess nachdenken würde. Und jetzt gab es wirklich etwas, das ihn beschäftigte. Was konnte ein obdachloser Zwölfjähriger aus El Salvador über den Mord an Myra Duffy wissen?

Nichts, entschied Theo auf dem Weg zum Klassenzimmer. Er begrüßte Mr. Mount und packte seinen Rucksack aus. Glücklich war er nicht. Die Verhandlung im größten Prozess in der Geschichte Strattenburgs wurde in einer halben Stunde fortgesetzt – ohne ihn. Das Leben war ungerecht.

In der ersten Pause schlich sich Theo in die Bücherei und versteckte sich in einer Lesekabine. Er holte seinen Laptop hervor und ging an die Arbeit.

Die für den Duffy-Prozess eingeteilte Gerichtsschreiberin war Ms. Finney. Nach dem, was Theo im Gericht gehört hatte, war sie die Beste in der Stadt. Wie bei jeder Verhandlung saß Ms. Finney unter dem Richtertisch und neben dem Zeugenstand. Es war der beste Platz im Saal, und das aus gutem Grund. Sie musste jedes Wort festhalten, das Richter, Staatsanwalt, Verteidiger, Zeugen und schließlich auch die Geschworenen sprachen. Mit ihrer Maschine, einem Stenografen, schaffte Ms. Finney locker zweihundertfünfzig Wörter pro Minute.

Früher hatten die Gerichtsschreiber Kurzschrift verwendet, das wusste Theo von seiner Mutter. Dabei wurden Symbole, Codes und Abkürzungen verwendet und was sonst noch erforderlich war, um mit der Verhandlung Schritt zu halten. Nach deren Ende übersetzte der Gerichtsschreiber diese Kurzschrift in eine sauber getippte Niederschrift dessen, was während der Verhandlung gesagt worden war. Das konnte Tage, Wochen, manchmal sogar Monate dauern und war harte Arbeit.

Dank der modernen Technik war die Aufzeichnung deutlich einfacher geworden. Noch besser war, dass praktisch sofort ein Protokoll der Verhandlung verfügbar war. Im Sitzungssaal gab es mindestens vier Desktop-Computer – für Richter Gantry am Richtertisch, am Tisch der Verteidigung, am Tisch der Staatsanwaltschaft und am Platz des Gerichtsschreibers. Während Ms. Finney die einzelnen Worte erfasste, wurde der Text übersetzt, formatiert und ins System eingespeist, sodass die vier Computer das Verfahren in Echtzeit wiedergaben.

Ms. Finney teilte sich im zweiten Stock ein Büro mit anderen Gerichtsschreibern. Ihr Softwaresystem nannte sich Veritas. Theo hatte sich schon früher dort eingehackt, wenn er wissen wollte, was bei Gericht los war.

Das System war nicht gesichert, weil die Informationen in öffentlicher Sitzung verfügbar waren. Jeder konnte in den Saal spazieren und der Verhandlung beiwohnen. Zumindest jeder, der nicht schulischen Zwängen unterworfen war. Aber wenn Theo schon nicht persönlich dabei sein konnte, wollte er zumindest wissen, was los war.

Viel hatte er nicht verpasst. Der erste Zeuge des zweiten Tages war der Chef des Sicherheitsdienstes, der für das Haupttor von Waverly Creek zuständig war. Es gab nur zwei Tore – das Haupttor und das Südtor. Beide waren mit Pförtnerhäuschen ausgestattet, die rund um die Uhr mit mindestens einem bewaffneten, uniformierten Wachmann besetzt waren. Beide waren mit zahlreichen Überwachungskameras ausgerüstet. Mithilfe der Videoaufzeichnungen belegte der Sicherheitschef, dass Mr. Duffy oder zumindest Mr. Duffys Auto die Siedlung an dem betreffenden Tag um 6.48 Uhr durch das Haupttor verlassen hatte und um 10.22 Uhr zurückgekehrt war.

Die Aufzeichnungen bewiesen, dass Mr. Duffys Auto zu Hause stand, als seine Frau ermordet wurde. Das bedeutete allerdings gar nichts, weil er das bereits zugegeben hatte. Er war zur Arbeit gefahren, nach Hause gekommen, hatte sein Auto abgestellt und war in sein Golfcart umgestiegen und weggefahren, während seine Frau, die zu diesem Zeitpunkt noch am Leben war, im Haus zurückgeblieben war.

Na toll, dachte Theo. Er sah auf die Uhr. Nur noch fünf Minuten Pause.

Die Staatsanwaltschaft erging sich in einer langwierigen Beschreibung aller Fahrzeuge, die am betreffenden Morgen in die Siedlung gefahren waren. Eine Installationsfirma war zu einem Haus unterwegs gewesen, ein Bodenleger zu einem anderen. Und so fort. Anscheinend versuchte die Anklage, jeden einzelnen Fremden aufzulisten, der das Tor passiert hatte.

Aber wozu? Vielleicht wollte Jack Hogan beweisen, dass sich zum Zeitpunkt des Mordes keine unbefugten Fahrzeuge oder Personen in Waverly Creek aufgehalten hatten. Das fand Theo ziemlich abwegig.

Die Verhandlung schien im Augenblick recht langweilig zu sein, da verpasste er nicht viel. Er schaltete seinen Laptop aus und flitzte zur nächsten Stunde.

Julio war nicht in der Cafeteria. Theo schlang hastig sein Mittagessen hinunter und ging auf die Suche. Seine Neugier ließ ihm keine Ruhe, und je länger der Unterricht dauerte, umso dringender wollte er erfahren, was Julio »vielleicht« wusste.

Theo ging schließlich wieder in die Bibliothek, zog sich in dieselbe Lesekabine zurück und hatte sich im Handumdrehen in Ms. Finneys Software eingehackt. Die Verhandlung war für die Mittagspause unterbrochen worden, das hatte er schon vermutet. Ansonsten hätte er sich einen Vorwand überlegt, um während seiner eigenen Pause in die Stadt zu radeln und sich ein Bild davon zu verschaffen, was im Sitzungssaal los war.

Wie erwartet hatte die Anklage versucht, zu beweisen, dass sich zum Zeitpunkt des Mordes keine unbefugten Fahrzeuge in Waverly Creek aufgehalten hatten. Daraus hatte Jack Hogan gefolgert, der Mörder könne kein Eindringling gewesen sein. Ein Fremder wäre von den ausgeklügelten Sicherheitsvorrichtungen entdeckt worden. Also müsse der Mörder jemand gewesen sein, der kommen und gehen konnte, ohne die Aufmerksamkeit der Wachleute zu erregen. Jemand, der in der Siedlung lebte. Jemand wie Pete Duffy.

Dieser Versuch der Anklage wurde von Mr. Clifford abgeschmettert, der sich in den ersten Stunden der Verhandlung ruhig verhalten hatte. In einem hitzigen und gelegentlich ruppigen Kreuzverhör zwang Mr. Nance den Sicherheitschef, zuzugeben, dass es in Waverly Creek erstens einhundertvierundfünfzig Einfamilienhäuser und achtzig Eigentumswohnungen gab, zweitens mindestens vierhundertsiebenundsiebzig Fahrzeuge, die Anwohnern gehörten, drittens eine asphaltierte Lieferantenzufahrt, die weder von Wachleuten noch von Kameras kontrolliert wurde, und viertens mindestens zwei auf der Karte nicht eingezeichnete Schotterwege, die auf das Gelände führten.

Mr. Nance wies nachdrücklich darauf hin, dass Waverly Creek eine Fläche von vierhundertfünfundachtzig Hektar umfasste, auf der es Flüsse, Bäche, Teiche, Wälder, Buchten, Straßen, Durchgänge, Einfamilienhäuser, Eigentumswohnungen und drei Golfplätze gab, und dass es unmöglich war, ein solches Gelände abzusichern.

Das musste der Sicherheitschef widerwillig zugeben.

Später gestand er ein, dass sich unmöglich sagen ließ, wer sich zum Zeitpunkt des Mordes innerhalb der Anlage aufgehalten hatte und wer nicht.

Theo fand das Kreuzverhör brillant und sehr wirkungsvoll. Umso trauriger war er, dass er es verpasst hatte.

»Was machst du denn da?« Eine Stimme riss Theo aus seinen Gedanken und rief ihn in die Welt der Schulbücherei zurück. April. Sie kannte seine Verstecke.

»Ich will wissen, was in der Verhandlung los ist.«

»Ich hoffe, ich muss nie wieder ein Gericht von innen sehen.«

Er klappte seinen Laptop zu, und sie setzten sich an einen kleinen Tisch in der Nähe der ausgelegten Zeitungen und Magazine. Sie wollte reden und schilderte ihm, mehr oder weniger im Flüsterton, was für ein Albtraum es gewesen war, auszusagen, während ein Dutzend Erwachsener mit finsterer Miene an ihren Lippen hing.

Unterrichtsschluss war um 15.30 Uhr, und zwanzig Minuten später saß Theo wieder im Gerichtssaal. Er hatte Glück und fand einen Platz neben Jenny, seiner großen Liebe von der Geschäftsstelle des Familiengerichts. Aber sie tätschelte ihm nur das Knie, wie einem knuddeligen Welpen. So was ärgerte Theo immer.

Die Geschworenen waren nicht an ihrem Platz. Richter Gantry war verschwunden. Offenbar war die Verhandlung unterbrochen.

»Was ist los?«, flüsterte er.

»Staatsanwaltschaft und Verteidigung verhandeln im Richterzimmer«, flüsterte sie zurück. Die Frustration war ihr deutlich anzusehen.

»Glaubst du immer noch, dass er schuldig ist?« Seine Stimme war noch leiser geworden.

»Ja. Und du?«

»Keine Ahnung.«

Sie tuschelten ein paar Minuten miteinander, bis sich im vorderen Teil des Saals etwas regte. Richter Gantry war wieder da. Die Vertreter von Anklage und Verteidigung kehrten zurück. Ein Gerichtsdiener ging die Geschworenen holen.

Der nächste Zeuge der Verteidigung war ein Banker. Jack Hogan begann mit einer Reihe von Fragen zu den Darlehen, die Pete Duffy aufgenommen hatte. Es wurde viel von Finanzen, Sicherheiten und Verzug geredet, was für Theo zu hoch war. Als er die

Geschworenen beobachtete, stellte er fest, dass die meisten ebenfalls abgeschaltet hatten. Die Zeugenaussage wurde schnell langweilig. Wenn damit nachgewiesen werden sollte, dass Pete Duffy pleite war und Geld brauchte, war der Banker ein lausiger Zeuge.

Es war ein schlechter Tag für die Anklage, das fand zumindest Theo. Als er sich im Sitzungssaal umsah, stellte er fest, dass der unheimliche Omar Cheepe fehlte. Wahrscheinlich war er irgendwo in der Nähe und hatte ein Auge bzw. Ohr auf alles.

Dem Banker war es gelungen, den halben Saal einzuschläfern. Theo drehte sich nach hinten zur Galerie um, die bis auf einen einzigen Zuschauer leer war. Dort oben saß Julio. Er kauerte gebeugt am äußersten Ende der vorderen Reihe, sodass sein Kopf kaum über das Geländer ragte, als wüsste er, dass er dort eigentlich nichts verloren hatte.

Theo drehte sich wieder nach vorn, musterte Zeugen und Geschworene und fragte sich, wieso Julio die Verhandlung verfolgte.

Er wusste etwas.

Als Theo nach ein paar Minuten wieder hinsah, war Julio nicht mehr allein. Omar Cheepe saß direkt hinter ihm, aber Julio merkte offenbar gar nicht, dass er beobachtet wurde.

Neun

Kurz nach 17.00 Uhr vertagte Richter Gantry die Verhandlung und rief Anklage und Verteidigung in sein Richterzimmer, wo es vermutlich ziemlich angespannt zugehen würde. Theo lief nach draußen und sah sich nach Julio um, aber der war spurlos verschwunden. Ein paar Minuten später stellte Theo sein Rad hinter der Familienkanzlei ab. Als er ins Büro kam, räumte Elsa gerade ihren Schreibtisch auf, um Feierabend zu machen.

»War's schön in der Schule, Theo?«, fragte sie mit ihrem üblichen warmen Lächeln und umarmte ihn.

»Nein.«

»Und warum nicht?«

»Schule ist langweilig.«

»Verstehe. Vor allem, wenn gerade Verhandlung ist.«

»Stimmt.«

»Deine Mutter hat einen Mandanten. Und soweit ich hören konnte, übt dein Vater putten.«

»Das hat er auch nötig«, sagte Theo. »Bis dann.«

»Bis morgen, Schätzchen.«

Als Elsa gegangen war, sperrte Theo die Eingangstür hinter ihr ab.

Woods Boone bewahrte einen Putter und ein paar Golfbälle neben seinem Schreibtisch auf. Er übte auf einem alten Orientteppich, der wenig mit einem echten Putting Green gemeinsam hatte. Mehrmals am Tag schlug er ein paar Bälle, »um die Muskeln zu lockern«. Wenn der Schlag danebenging, was ständig passierte, rollten die Bälle vom Teppich auf den Holzboden und machten einen Höllenlärm. Es war vielleicht nicht ganz so laut wie eine Kegelbahn, aber laut genug, um die gesamte Kanzlei unten wissen zu lassen, dass der wackere Golfer oben wieder einmal sein Ziel verfehlt hatte.

»Hallo, Theo«, sagte Mr. Boone. In Wirklichkeit puttete er nicht, sondern saß mit aufgekrempelten Ärmeln an seinem Schreibtisch. Zwischen seinen Backenzähnen steckte eine Pfeife, und vor ihm stapelten sich die Papiere.

»Hallo, Dad.«

»Wie war's in der Schule?«

»Super.«

Wenn Theo meckerte, was er gelegentlich tat, bekam er nur die übliche Predigt über die Bedeutung einer Ausbildung zu hören. »Ich war nach der Schule im Gericht.«

»Das habe ich mir schon gedacht. Irgendwas Interessantes?«

Sie unterhielten sich ein paar Minuten lang über den Prozess. Theos Vater schien sich praktisch gar nicht dafür zu interessieren, was Theo überhaupt nicht verstehen konnte. Wie konnte ein Jurist von einem so wichtigen Ereignis im Rechtsleben der Stadt nicht gefesselt sein?

Das Telefon klingelte, und Mr. Boone musste an den Apparat. Theo ging nach unten und sah sich in der Kanzlei um. Vince, der Anwaltsassistent, arbeitete hinter geschlossener Tür. Dorothy, die Immobiliensekretärin, war schon gegangen. Da er ernste Stimmen im Büro seiner Mutter hörte, ging er weiter. Oft weinten die Mandantinnen, Frauen mit Eheproblemen, die verzweifelt die Hilfe seiner Mutter suchten.

Theo musste unwillkürlich lächeln, wenn er daran dachte, wie wichtig seine Mutter war. Obwohl er auf keinen Fall in ihre Fußstapfen treten wollte, war er sehr stolz auf sie.

Er ging in sein Büro, unterhielt sich kurz mit Judge und fing mit den Hausaufgaben an. Ein paar Minuten vergingen, und es wurde allmählich dunkel. Judge knurrte, weil er draußen ein Geräusch hörte, dann klopfte jemand an die Tür. Theo fuhr zusammen, sprang auf und spähte hinaus. Es war Julio. Theo öffnete die Tür.

»Kann ich da drüben mit dir reden?«, fragte Julio und deutete auf den Hof.

»Klar.« Theo zog die Tür hinter sich zu. »Was ist los?«

»Das weiß ich nicht.«

»Ich habe dich vorhin im Gericht gesehen. Was wolltest du da?«

Julio ging ein paar Schritte vom Haus weg, als könnte ihn jemand hören. Dann sah er sich nervös um. »Ich brauche jemanden, dem ich vertrauen kann, Theo. Jemanden, der sich mit dem Gesetz auskennt.«

»Du kannst mir vertrauen«, erwiderte Theo, der darauf brannte, den Rest der Geschichte zu hören, die ihn den ganzen Tag beschäftigt hatte.

»Aber wenn ich dir was erzähle, darfst du es niemandem weitersagen.«

»Okay, aber warum willst du mir was erzählen, das ich nicht weitersagen darf? Das verstehe ich nicht.«

»Ich brauche einen Rat. Irgendwer muss davon wissen.«

»Was wissen?«

Julio rammte beide Hände in die Taschen seiner Jeans und ließ die Schultern hängen. Er wirkte verängstigt. Theo dachte daran, dass er mit seiner Mutter und seinen jüngeren Geschwistern im Obdachlosenheim leben musste. Weit weg von zu Hause, von ihrem Vater im Stich gelassen. Diese Leute hatten vermutlich vor allem Angst.

»Du kannst mir vertrauen, Julio«, sagte Theo.

»Okay.« Julio starrte auf seine Füße, um Theo nicht in die Augen sehen zu müssen. »Ich habe einen Cousin aus El Salvador, der hier in Strattenburg lebt. Er ist älter als ich, vielleicht achtzehn oder neunzehn. Ist seit ungefähr einem Jahr hier. Er arbeitet draußen auf dem Golfplatz. Er mäht den Rasen, füllt die Wasserspender auf und so Zeug. Spielst du Golf?«

»Ja.«

»Dann kennst du ja die Leute, die sich um den Platz kümmern.«

»Ja.« Theo spielte jeden Samstagmorgen mit seinem Vater auf dem städtischen Golfplatz. Auf den Fairways und Grüns waren immer ein paar Arbeiter mit der Instandhaltung des Platzes beschäftigt. Wenn er es recht bedachte, waren die meisten von ihnen Lateinamerikaner.

»Auf welchem Platz?«, fragte Theo. Es gab mindestens drei in der Gegend.

»Da draußen, wo die Dame ermordet worden ist.«

»Waverly Creek?«

»Ja.«

In Theos Brust schien plötzlich ein dicker Knoten zu sitzen, der ihm die Luft abschnürte. »Red weiter«, sagte er, obwohl ihm sein Instinkt riet, das Gespräch sofort abzubrechen, zurück in sein Büro zu laufen und die Tür zu verriegeln.

»Weißt du, er hat dort am Tag des Mordes gearbeitet. Seine Mittagspause ist von halb zwölf bis zwölf. Er hat großes Heimweh, und an den meisten Tagen setzt er sich ab und isst irgendwo allein. Er trägt ein Foto von seinen Eltern und seinen vier kleinen Brüdern bei sich, das sieht er an, während er isst. Es macht ihn sehr traurig, aber es erinnert ihn auch daran, warum er hier ist. Er schickt ihnen jeden Monat Geld. Sie sind sehr arm.«

»Wo isst er denn?«, fragte Theo, der bereits eine Ahnung hatte.

»Ich verstehe nicht viel von Golf, nur das, was er mir erzählt hat. Weißt du, was ein Fairway und ein Dogleg sind?«

»Natürlich, der Fairway ist der Bereich, in dem gespielt werden sollte, und ein Dogleg ist eine Stelle, wo der Fairway einen Knick macht.«

»Also, mein Cousin sitzt an einem Dogleg unter Bäumen, ziemlich versteckt, weil die Mittagspause die einzige Zeit ist, in der er allein sein kann, und dann sieht er einen Mann richtig schnell mit seinem Golfcart über den Weg am Fairway fahren. Der Mann hat einen Satz Golfschläger hinten im Cart, aber er spielt nicht. Er hat es sehr eilig. Plötzlich biegt er nach links ab und stellt das Cart am Garten des Hauses ab, in dem die Dame ermordet worden ist.«

Theo hielt die Luft an. »Wahnsinn.«

Julio sah ihn an.

»Sprich weiter«, drängte Theo.

»Der Mann springt also vom Cart, geht zur Hintertür, zieht schnell seine Golfschuhe aus, öffnet die Tür und geht rein. Die Tür ist nicht abgeschlossen, und der Mann bewegt sich, als ob er sich auskennt. Mein Cousin denkt sich nicht viel dabei, weil die Leute da draußen ständig Golf spielen. Er findet es nur komisch, dass der Mann seine Schuhe auf der Terrasse auszieht. Und dann tut er noch was, das meinem Cousin komisch vorkommt.«

»Was?«

»Der Mann trägt an der linken Hand einen weißen Handschuh. Das ist normal, oder?«

»Ja. Die meisten Rechtshänder tragen beim Golf links einen Handschuh.«

»Das hat mein Cousin auch gesagt. Der Mann

spielt also irgendwo Golf, und dann fällt ihm ein, dass er zu dem Haus will …«

»Und er vergisst, den Handschuh auszuziehen«, sagte Theo.

»Kann sein, aber jetzt kommt der merkwürdige Teil. Nachdem der Mann seine Schuhe ausgezogen und an der Tür abgestellt hat, holt er einen zweiten Handschuh aus der Tasche und zieht ihn an die rechte Hand. Zwei weiße Handschuhe.«

Der Knoten in Theos Brust schwoll auf die Größe eines Fußballs an.

»Warum braucht der Mann zwei Handschuhe, um die Tür zu öffnen?«, fragte Julio.

Aber Theo antwortete nicht. Vor seinem geistigen Auge sah er Pete Duffy, wie er, umringt von Anwälten, mit selbstzufriedener Miene im Gerichtssaal saß, als hätte er das perfekte Verbrechen begangen und könnte gar nicht erwischt werden.

»Welcher Fairway?«, fragte Theo.

»Nummer sechs auf dem Creek Course – keine Ahnung, was das ist.«

Dort lag das Haus der Duffys.

»Wie weit weg war dein Cousin?«

»Keine Ahnung. Ich war noch nie da. Aber es ist ein gutes Versteck. Als der Mann aus dem Haus kommt, wirkt er sehr misstrauisch und vergewissert sich, dass ihn keiner beobachtet. Er hat keine Ahnung, dass mein Cousin ihn gesehen hat.«

»Wie lange war der Mann im Haus?«

»Gar nicht lang. Mein Cousin hat sich deswegen

keine großen Gedanken gemacht. Als der Mann wieder aus derselben Tür kommt, hat mein Cousin gerade aufgegessen und will ein Gebet für seine Familie sprechen. Der Mann hat es nicht eilig, geht ein bisschen auf der Terrasse herum, sieht sich auf dem Fairway um. Dabei zieht er die Handschuhe aus und stopft sie in seine Golftasche. Dann zieht er die Schuhe an, springt auf sein Golfcart und fährt los.«

»Und was ist dann passiert?«

»Um zwölf geht mein Cousin zurück zur Arbeit. Ein paar Stunden später mäht er auf dem North Nine gerade den Rasen, als ihm ein Freund erzählt, auf dem Creek Course wimmelt es nur so von Polizei, weil es einen Einbruch gegeben hat und eine Frau ermordet worden ist. Am Nachmittag wird auf dem Golfplatz über nichts anderes geredet, und mein Cousin weiß schon bald, um welches Haus es sich handelt. Er fährt mit einem Servicecart hin und sieht die Polizei vor dem Haus. Da fährt er ganz schnell wieder weg.«

»Hat er irgendwem davon erzählt?«

Julio kickte einen Stein und sah sich erneut um. Mittlerweile war es dunkel geworden. Sie waren unbeobachtet. »Das bleibt doch unter uns, Theo?«

»Natürlich.«

»Mein Cousin ist illegal hier. Meine Mutter hat Papiere für uns, aber mein Cousin hat keine. Am Tag nach dem Mord ist die Polizei gekommen und hat eine Menge Fragen gestellt. Da draußen arbeiten noch zwei andere Jungen aus El Salvador, die auch illegal hier sind. Der Chef hat meinem Cousin und den beiden anderen gesagt, sie sollen ein paar Tage nicht kommen. Daran haben sie sich gehalten. Wenn ihn die Polizei erwischt, wird mein Cousin verhaftet, eingesperrt und nach El Salvador zurückgeschickt.«

»Also hat er mit niemandem darüber gesprochen?«

»Nein. Nur mit mir. Irgendwann hat er im Fernsehen einen Bericht über den Mord gesehen. Da haben sie das Haus gezeigt, und mein Cousin hat es erkannt. Der Mann, dieser Mr. Duffy, war auch zu sehen, wie er über einen Bürgersteig geht. Mein Cousin hat gesagt, der Mann, der im Haus war, hat sich genauso bewegt.«

»Warum hat er dir das erzählt?«

»Weil ich sein Cousin bin und zur Schule gehe. Mein Englisch ist gut, und ich habe Papiere. Er versteht das Rechtssystem nicht und hat mich danach gefragt. Ich habe ihm versprochen, mich zu erkundigen. Deswegen bin ich hier, Theo.«

»Was erwartest du von mir?«

»Sag uns, was wir tun sollen. Er könnte ein wichtiger Zeuge sein, stimmt's?«

»Allerdings.«

»Was soll er tun?«

Sich so schnell wie möglich in El Salvador in Sicherheit bringen, hätte Theo fast gesagt, tat es aber nicht. »Lass mich nachdenken«, sagte er und rieb sich das Kinn. Seine Zahnspange tat plötzlich weh. Er kickte einen Stein weg und versuchte sich den Aufruhr vorzustellen, der losbrechen würde, wenn Julios Cousin aussagte.

»Gibt es eine Belohnung?«, fragte Julio.

»Will er Geld?«

»Jeder will Geld.«

»Ich weiß nicht, vielleicht ist es zu spät. Der Prozess ist schon halb vorbei.« Theo trat nach einem anderen Stein, und für einen Augenblick starrten die beiden Jungen auf ihre Füße.

»Das ist einfach unglaublich.« Theo war völlig verwirrt. Aber er konnte immer noch klar genug denken, um zu wissen, dass die Sache zu groß für ihn war. Darum mussten sich Erwachsene kümmern.

Das war kein Geheimnis, das er für sich behalten konnte.

»Was ist?«, wollte Julio wissen. Er sah Theo erwartungsvoll an.

»Wo wohnt dein Cousin?«

»In der Nähe von Quarry. Ich war noch nie da.«

Das hatte Theo erwartet. Quarry war ein übles Viertel, in dem der ärmere Teil der Bevölkerung lebte. Strattenburg war eine sichere Stadt, aber wenn es einmal eine Schießerei oder eine Drogenrazzia gab, dann in Quarry.

»Kann ich mit deinem Cousin reden?«, fragte Theo.

»Ich weiß nicht, Theo. Er macht sich wegen dieser Sache wirklich große Sorgen und hat Angst, dass er Ärger bekommt. Sein Job ist für seine Familie zu Hause sehr wichtig.«

»Das verstehe ich ja. Aber ich muss mir über die Tatsachen klar werden, bevor ich entscheiden kann, was zu tun ist. Wie oft siehst du deinen Cousin?«

»Ein- oder zweimal pro Woche. Er kommt in der Obdachlosenunterkunft vorbei und besucht meine Mutter. Er hat furchtbares Heimweh, und wir sind seine einzigen Verwandten.«

»Hat er ein Telefon?«

»Nein, aber er wohnt mit ein paar anderen Männern zusammen, und einer von denen hat ein Handy.«

Gedankenverloren tigerte Theo auf dem Parkplatz auf und ab. Dann schnippte er mit den Fingern. »Pass auf, ich habe einen Plan. Ich nehme an, du brauchst heute Abend Hilfe bei deinen Mathehausaufgaben.«

»Äh …«

»Sag einfach Ja.«

»Ja.«

»Gut. Setz dich mit deinem Cousin in Verbindung, und richte ihm aus, er soll in etwa einer Stunde bei euch sein. Ich komme dann vorbei, um dir bei den Hausaufgaben zu helfen, und treffe so ganz zufällig deinen Cousin. Sag ihm, er kann mir vertrauen, und dass ich keinem was erzähle, wenn er das nicht will. Alles klar?«

»Ich versuche es. Was passiert, wenn du mit ihm geredet hast?«

»Das weiß ich nicht. So weit bin ich noch nicht.«

Julio verschwand in der Dunkelheit. Theo kehrte in sein Büro zurück, wo er eine Akte über den Duffy-Prozess aufbewahrte. Sie enthielt Zeitungsartikel, eine Kopie der Anklageschrift und die Ergebnisse seiner Internetrecherchen zu Pete Duffy, Clifford Nance und sogar Jack Hogan, dem Staatsanwalt.

Jeder Anwalt hatte Akten.

Mittwochabend gab es immer Take-away vom Golden Dragon, einem Chinarestaurant. Gegessen wurde dann im Fernsehzimmer, während sich die Boones Theos Lieblingssendung, eine Wiederholung der alten Perry-Mason-Serie, ansah.

Mrs. Boone war noch mit ihrer Mandantin beschäftigt. Theo konnte die arme Frau durch die Tür weinen hören. Mr. Boone war auf dem Sprung zum Golden Dragon, als Theo ihm erklärte, er müsse noch schnell zur Obdachlosenunterkunft und ein paar Minuten mit Julio reden.

»Komm nicht so spät«, mahnte Mr. Boone. »Wir essen um sieben.«

»Ich bin da.« *Natürlich essen wir um sieben.*

Die Kanzlei hatte eine Bibliothek, die im Erdgeschoss, in der Nähe des Haupteingangs, untergebracht war. Mitten im Raum stand ein langer Tisch mit Lederstühlen. Die Wände waren mit Regalen bedeckt, auf denen sich dicke Wälzer drängten. Alle wichtigen Besprechungen fanden in der Bibliothek statt. Gelegentlich kamen dort andere Anwälte wegen einer Zeugenaussage oder Verhandlung zusammen. Vince, der Anwaltsassistent, arbeitete gern hier. Theo auch, wenn in der Kanzlei nichts los war. Am späten Nachmittag, wenn die Kanzlei geschlossen war und die anderen gegangen waren, schlich er sich oft in die Bibliothek.

Zusammen mit Judge zog er sich nun dorthin zurück und schloss die Tür, schaltete das Licht aber nicht ein. Er ließ sich auf einen der Lederstühle sinken, legte die Füße auf den Tisch und musterte im Halbdunkel die langen Bücherreihen. Tausende von Büchern. Die gedämpften Stimmen seiner Mutter und ihrer Mandantin ein paar Türen weiter waren kaum zu hören.

Theo kannte kein anderes Kind, dessen Eltern beruflich zusammenarbeiteten. Und er kannte auch keins, das jeden Tag nach der Schule ins Büro ging. Die meisten seiner Freunde spielten Baseball oder Fußball, gingen schwimmen oder warteten zu Hause auf das Abendessen, während er in der dämmrigen Rechtsbibliothek saß und die Ereignisse der vergangenen Stunde Revue passieren ließ.

Er liebte den Raum mit dem schweren Geruch des abgewetzten Leders, der alten Teppiche und der verstaubten Gesetzbücher, die bedeutungsschwere Atmosphäre.

Wie war es möglich, dass er, Theodore Boone, die Wahrheit über den Duffy-Mord kannte? Wieso ausgerechnet er unter allen fünfundsiebzigtausend Einwohnern von Strattenburg? Das größte Verbrechen in der Stadt seit den Fünfzigerjahren des vergangenen Jahrhunderts, und Theo war plötzlich mittendrin.

Er hatte keine Ahnung, was er tun sollte.

Zehn

Am Eingang zur Obdachlosenunterkunft in der Highland Street lungerten ein paar heruntergekommene Typen herum. Theo stellte sein Rad ab und ging mit einer höflichen Entschuldigung und metallisch blitzendem Lächeln mitten durch die Gruppe hindurch. Angst hatte er keine, von denen würde keiner einem Kind etwas tun. Der widerliche Geruch von abgestandenem Alkohol hing in der Luft.

»Hast du ein bisschen Kleingeld, Junge?«, krächzte einer.

»Nein, Sir«, erwiderte Theo, ohne das Tempo zu verlangsamen.

Im Untergeschoss saßen Julio und seine Familie noch beim Abendessen. Julios Mutter sprach ganz gut Englisch, war aber offensichtlich überrascht, Theo an einem Mittwochabend zu sehen. Theo erklärte ihr in – seiner Meinung nach – perfektem Spanisch, dass Julio zusätzliche Nachhilfe in Algebra brauchte. Offenbar verstand sie kein perfektes Spanisch, denn sie fragte Julio, was Theo gesagt hatte. Dann fing Hector aus irgendeinem Grund an zu weinen und lenkte sie ab.

Die Cafeteria war überfüllt und überheizt, und Hector war nicht das einzige weinende Kind. Theo und Julio flüchteten sich in den kleinen Besprechungsraum im Erdgeschoss, in dem Theos Mutter manchmal ihre Mandanten beriet.

»Hast du mit deinem Cousin gesprochen?«, fragte Theo, nachdem er die Tür geschlossen hatte.

»Ja. Er hat gesagt, er kommt, aber ich weiß nicht, ob er das wirklich tut. Er hat furchtbare Angst, Theo. Wunder dich nicht, wenn er nicht auftaucht.«

»Okay. Dann fangen wir mit Algebra an.«

»Muss das sein?«

»Julio, du hast lauter Dreien. Das reicht nicht. Du kannst mindestens eine Zwei schaffen.«

Nach zehn Minuten langweilten sich beide. Theo konnte sich nicht konzentrieren, weil er ständig an Julios Cousin und an die explosive Wirkung denken musste, die dessen Aussage haben konnte. Julio schweifte ab, weil er Algebra hasste. Theos Handy klingelte.

»Meine Mutter«, sagte er, als er das Gerät aufklappte.

Sie war auf dem Weg nach Hause und machte sich Sorgen. Er versicherte ihr, dass er sich bester Gesundheit erfreute, mit Julio an dessen Algebraaufgaben saß und rechtzeitig zum Essen vom Chinesen zu Hause sein würde – selbst wenn das Essen kalt wurde. War doch egal, ob er es warm oder kalt aß.

»Cool, dass du ein Handy hast«, sagte Julio, als Theo das Telefon zugeklappt hatte.

»Haben viele Kinder in der Schule«, meinte Theo.

»Meins ist nur für Ortsgespräche, nicht für Ferngespräche.«

»Trotzdem cool.«

»Ist aber nur ein Telefon, kein Computer.«

»In meiner Klasse hat keiner ein Handy.«

»Du bist auch erst in der Siebten. Warte bis nächstes Jahr. Was glaubst du, wo dein Cousin steckt?«

»Komm, wir rufen ihn an.«

Theo zögerte kurz, aber warum eigentlich nicht? Er konnte nicht die ganze Nacht hier herumsitzen. Nachdem er die Nummer eingegeben hatte, gab er Julio das Telefon, der ein paar Sekunden lang lauschte. »Mailbox.«

Da klopfte es an der Tür.

Julios Cousin trug noch seinen Arbeitsanzug, auf dessen Rücken in fetten Lettern der Aufdruck »Waverly Creek Golf« prangte. Der Schriftzug wiederholte sich, entsprechend kleiner, auf der Brusttasche und der passenden Kappe. Der Junge war nicht viel größer als Theo und wirkte deutlich jünger als achtzehn oder neunzehn. Seine dunklen Augen blickten gehetzt, und er schien auf dem Sprung zu sein, bevor er sich überhaupt gesetzt hatte.

Er weigerte sich, Theo die Hand zu schütteln, und wollte weder seinen Vornamen noch seinen Familiennamen nennen. In rasantem Spanisch fing er an, mit Julio zu diskutieren. Es klang angespannt.

»Er will wissen, warum er dir vertrauen soll«, erklärte Julio.

Theo war dankbar für die Übersetzung, weil er kaum etwas von dem Spanisch verstanden hatte.

»Weißt du, Julio, die Situation ist folgende: Er hat sich an dich gewandt, du dich an mich, und jetzt bin ich hier. Ich habe die Sache nicht in Gang gebracht. Wenn er nicht bleiben will, von mir aus. Dann gehe ich eben nach Hause, soll mir recht sein.« Das waren klare Worte, die auf Englisch ganz schön hart klangen. Julio gab sie auf Spanisch weiter, und der Cousin funkelte Theo an, als hätte er ihn beleidigt.

Theo wollte gar nicht gehen, obwohl ihm bewusst war, dass er das eigentlich hätte tun sollen. In so eine Sache mischte man sich lieber nicht ein. Er hatte sich mehrfach gesagt, dass er sich besser raushielt, aber eigentlich war er im Augenblick genau da, wo er sein wollte. »Sag ihm, er kann mir vertrauen. Ich erzähle nichts weiter«, sagte er zu Julio.

Julio übersetzte auch das, und der Cousin schien sich ein wenig zu entspannen.

Theo war klar, dass sich der Junge große Sorgen machte und eigentlich Hilfe suchte. Julio redete wie ein Buch auf Spanisch. Er überhäufte Theo mit Lob, so viel verstand auch Theo.

Der Cousin lächelte.

Theo hatte eine farbige Google-Earth-Karte vom Creek Course ausgedruckt und das Haus der Duffys markiert. Der Cousin, dessen Namen Theo immer noch nicht kannte, fing an, seine Geschichte zu erzählen. Er deutete auf eine Stelle in einer Baumgruppe am sechsten Fairway und schilderte hastig, was er gesehen hatte. Er hatte an einem Bachbett hinter den ersten Bäumen auf Holzbalken gesessen und sein Mittagessen verzehrt, ohne sich um den Rest der Welt zu kümmern, als er den Mann das Haus durch die Hintertür betreten und ein paar Minuten später wieder verlassen sah. Julio dolmetschte tapfer, musste allerdings seinen Cousin immer wieder unterbrechen, damit er Theo eine englische Version liefern konnte. Zu Theos Ehre war zu sagen, dass er zunehmend mehr von dem spanischen Wortschwall verstand, als er sich eingehört hatte.

Der Cousin beschrieb die hektische Aktivität auf dem Golfplatz, als die Polizei auftauchte und die Gerüchteküche zu brodeln begann. Einer seiner Freunde, ein Junge aus Honduras, der im Clubhaus-Restaurant kellnerte, hatte ihm berichtet, Mr. Duffy habe gerade – etwas spät – beim Mittagessen und einem Getränk gesessen, als er vom Tod seiner Frau erfuhr. Er legte eine große Szene hin, rannte aus dem Restaurant, sprang in sein Golfcart und raste nach Hause. Dieser Freund sagte, Mr. Duffy habe einen schwarzen Pulli, eine hellbraune Hose und eine rötlichbraune Golfkappe getragen. Das passe genau, meinte der Cousin. Genau dasselbe habe der Mann getragen, den er dabei beobachtet hatte, wie er das Haus der Duffys betrat und nur Minuten später wieder verließ.

Theo holte vier Fotos von Pete Duffy aus seiner Akte. Alle vier hatte er online in den Archiven der örtlichen Tageszeitung gefunden und sie auf zwanzig mal fünfundzwanzig Zentimeter vergrößert. Er breitete sie auf dem Tisch aus und wartete ab. Der Cousin konnte Mr. Duffy nicht identifizieren. Der Mann, den er bei seinem einsamen Mittagessen gesehen hatte, musste sechzig bis hundert Meter von ihm entfernt gewesen sein. Er sah dem auf den Fotos ähnlich, aber der Cousin war sich nicht sicher. Allerdings wusste er ganz genau, was der Mann getragen hatte.

Eine positive Identifizierung durch den Cousin wäre hilfreich gewesen, war aber nicht entscheidend. Was Mr. Duffy getragen hatte, ließ sich leicht überprüfen, und die Tatsache, dass ein Zeuge einen Mann in identischer Kleidung wenige Minuten vor dem Mord ins Haus hatte gehen sehen, war, zumindest Theos Meinung nach, für eine Verurteilung ausreichend.

Während Julio ins Spanische übersetzte, beobachtete Theo den Cousin sehr genau. Es war offensichtlich, dass er die Wahrheit sagte. Warum auch nicht? Er hatte nichts zu gewinnen, wenn er log, aber viel zu verlieren. Seine Geschichte war glaubhaft. Und sie passte genau zur Theorie der Anklage. Das Problem war nur, dass die Anklage nichts von der Existenz dieses Zeugen ahnte.

Theo hörte zu und fragte sich wieder, was er jetzt tun sollte.

Der Cousin redete immer schneller. Offenbar war der Damm endlich gebrochen, und er wollte reinen Tisch machen. Julio musste sich noch mehr anstrengen, um mit der Übersetzung Schritt halten zu können. Theo tippte hektisch auf seinem Laptop herum und machte sich so viele Notizen wie möglich.

Manchmal unterbrach er den Redefluss, bat Julio, etwas zu wiederholen, und dann ging es weiter.

Als Theo keine Fragen mehr einfielen, sah er auf die Uhr und stellte überrascht fest, wie spät es war. Es war nach sieben, und seine Eltern würden nicht begeistert sein, dass er zu spät zum Essen kam. Als er sagte, dass er wegmusste, wollte der Cousin wissen, wie es weitergehen sollte.

»Ich bin mir noch nicht sicher«, erwiderte Theo. »Gebt mir ein bisschen Zeit. Lasst mich darüber schlafen.«

»Aber du hast versprochen, nichts zu erzählen«, sagte Julio.

»Das werde ich auch nicht, Julio. Außer wir – wir drei – einigen uns auf einen Plan.«

»Wenn er Angst bekommt, taucht er unter«, sagte Julio, wobei er mit dem Kopf auf seinen Cousin deutete. »Er darf sich nicht erwischen lassen. Verstehst du das?«

»Natürlich verstehe ich das.«

Das Hühnchen Chow Mein war kälter als sonst, und Theo hatte keinen großen Appetit. Die Boones aßen im Fernsehzimmer von Tabletts. Judge, der sich seit seiner ersten Woche in der Familie geweigert hatte, Hundefutter zu sich zu nehmen, fraß aus seinem Napf neben dem Fernseher. *Ihm* hatte es nicht den Appetit verdorben.

»Wieso isst du nichts?« Die Essstäbchen seiner Mutter blieben in der Luft hängen.

»Ich esse doch.«

»Du wirkst so bedrückt«, stellte sein Vater fest, der mit einer Gabel aß.

»Ich muss nur an Julio und seine Familie denken. Die haben es wirklich schwer.«

»Du bist wirklich ein lieber Junge, Theo.«

Wenn ihr wüsstet, dachte Theo.

Perry Mason, der in der Schwarz-Weiß-Sendung mitten in einem wichtigen Verfahren stand, war kurz davor, den Fall zu verlieren. Der Richter hatte ihn gründlich satt. Die Geschworenen blickten skeptisch drein. Der Staatsanwalt strotzte nur so vor Selbstbewusstsein. Und dann richtete Mason den Blick auf die Zuschauer und rief einen Überraschungszeugen auf. Dieser trat in den Zeugenstand und erzählte eine Geschichte, die ganz anders war als die vom Staatsanwalt vorgetragene.

Die neue Version klang absolut plausibel. Der Überraschungszeuge hielt dem Kreuzverhör stand, und die Geschworenen entschieden zugunsten von Perry Masons Mandanten.

Wieder einmal ein Happy End. Wieder ein Sieg vor Gericht.

»So läuft das nicht«, sagte Mrs. Boone, wie sie es während jeder Episode mindestens dreimal tat. »Überraschungszeugen gibt es nicht.«

Das war Theos Stichwort. »Aber wenn plötzlich doch ein Zeuge auftaucht? Einer, der für die Wahrheitsfindung wesentlich ist? Einer, von dem keiner etwas wusste?«

»Und wie kommt der in die Verhandlung, wenn keiner von ihm weiß?«, konterte Mr. Boone.

»Was, wenn er einfach so auftaucht?«, hielt Theo dagegen. »Was, wenn ein Augenzeuge aus der Zeitung oder aus dem Fernsehen von dem Prozess erfährt und sich meldet? Einer, von dessen Existenz niemand was geahnt hat. Von dem keiner wusste, dass er Zeuge des Verbrechens war. Was tut der Richter in so einem Fall?«

Es kam selten vor, dass Theo die beiden Anwälte der Familie vor eine Frage stellte, die sie nicht auf Anhieb beantworten konnten. Seine Eltern überlegten. Zu diesem Zeitpunkt wusste Theo zwei Dinge mit Sicherheit: Erstens, dass beide eine Meinung zu dem Thema haben würden. Zweitens, dass sie keinesfalls dieselbe Meinung haben würden.

Seine Mutter äußerte sich zuerst: »Die Staatsanwaltschaft kann einen Zeugen nur aufrufen, wenn er Gericht und Verteidigung vorher benannt wird. Die Prozessordnung sieht keine Überraschungszeugen vor.«

»Aber«, gab sein Vater streitlustig zu bedenken, wobei er seine Frau kaum ausreden ließ, »wenn die Anklage von einem Zeugen nichts weiß, kann sie ihn auch nicht benennen. Bei einem Prozess geht es um die Wahrheitsfindung. Wenn einem Augenzeugen die Möglichkeit verweigert wird auszusagen, ist das Verschleierung der Wahrheit.«

»Vorschrift bleibt Vorschrift.«

»Aber die Vorschriften können vom Richter geändert werden, wenn es erforderlich ist.«

»Das kommt in der nächsten Instanz nicht durch.«
»Da wäre ich mir nicht so sicher.«

Und so ging es hin und her. Theo verstummte. Er überlegte, ob er seine Eltern daran erinnern sollte, dass keiner von ihnen auf Strafrecht spezialisiert war, aber dann hätten sich beide auf ihn eingeschossen. Solche Diskussionen waren im Hause Boone an der Tagesordnung. Theo hatte beim Essen, auf der Veranda und sogar auf dem Rücksitz des Autos viel über Recht gelernt.

Zum Beispiel hatte er erfahren, dass seine Eltern als Anwälte Organe der Rechtspflege waren. Das hieß, ihre Aufgabe war es, dem Recht in geordneten Verfahren zur Geltung zu verhelfen. Wenn sich Staatsanwälte oder andere Rechtsanwälte unethisch verhielten, die Polizei gegen Regeln verstieß oder ein Richter seine Kompetenzen überschritt, war es die Pflicht seiner Eltern, entsprechende Maßnahmen zu ergreifen. Seinen Eltern zufolge ignorierten viele Anwälte diese Verantwortung, aber seine Eltern nahmen sie sehr ernst.

Theo traute sich nicht, ihnen von Julios Cousin zu erzählen. Bei ihrem Pflichtgefühl konnten sie wahrscheinlich nicht anders, als damit direkt zu Richter Gantry zu gehen. Der Cousin würde abgeholt, vor Gericht gezerrt, zur Aussage gezwungen und dann als illegaler Einwanderer festgenommen werden. Er würde ins Gefängnis kommen und schließlich in Abschiebehaft, was, wenn man Mr. Mount glauben wollte, Monate dauern konnte, bis er schließlich nach El Salvador zurückgeschafft werden würde.

Damit hätte Theo seine Glaubwürdigkeit verloren und der Familie ernsten Schaden zugefügt.

Andererseits würde dann ein Schuldiger verurteilt werden. Sonst würde Pete Duffy vermutlich als freier Mann das Gericht verlassen. Er würde mit einem Mord davonkommen.

Theo würgte einen Bissen kaltes Hühnerfleisch herunter.

Es würde eine unruhige Nacht werden.

Elf

Als die Albträume kurz vor Sonnenaufgang aufhörten, hatte sich Theo damit abgefunden, dass es mit dem Schlaf vorbei war. Lange fixierte er die Zimmerdecke, während er darauf lauschte, ob seine Eltern endlich aufstanden. Er sagte Judge, der unter seinem Bett schlief, guten Morgen.

Während der Nacht war er mehrfach zu dem Schluss gekommen, dass ihm nichts anderes übrig blieb, als sich in aller Frühe mit seinen Eltern zusammenzusetzen und ihnen die Geschichte von Julios Cousin zu erzählen. Aber er hatte es sich immer wieder anders überlegt. Als er schließlich aus dem Bett stieg, war die Entscheidung gefallen: Er brachte es nicht über sich, das Versprechen zu brechen, das er Julio und seinem Cousin gegeben hatte. Er durfte nichts erzählen. Wenn deswegen ein Schuldiger straffrei ausging, war das nicht Theos Problem.

Oder doch?

Mit dem üblichen Lärm absolvierte er sein Morgenritual: Dusche, Zähneputzen, Zahnspange, die tägliche Qual der Wahl bei der Kleidung. Wie immer dachte er an Elsa und ihre ärgerliche Angewohnheit, seine Hemden, Hosen und Schuhe daraufhin zu inspizieren, ob auch alles zusammenpasste und nichts davon in den letzten drei Tagen getragen worden war.

Kurz vor sieben hörte er seinen Vater aus dem Haus gehen. Seine Mutter rumorte im Fernsehzimmer, wo sie das Morgenprogramm sah. Punkt halb acht schloss Theo die Badezimmertür, klappte sein Handy auf und rief Onkel Ike an.

Ike war kein Frühaufsteher. Sein Job als Steuergehilfe verlangte ihm viel zu wenig ab und ließ ihn den Tag nicht gerade mit Begeisterung angehen. Er lag Theo ständig damit in den Ohren, wie öde seine Arbeit war. Aber das war nicht das einzige Problem. Unglücklicherweise trank Ike zu viel und kam deswegen am Morgen nur langsam in die Gänge. Im Laufe der Jahre hatte Theo die Erwachsenen immer wieder über Ikes Trinkerei tuscheln hören. Einmal hatte Elsa Vince wegen Ike etwas gefragt. »Wenn er nüchtern ist, vielleicht«, hatte der kurz angebunden geantwortet. Das war nicht für Theos Ohren bestimmt gewesen, aber Theo hörte in der Kanzlei viel mehr, als die anderen ahnten.

Schließlich meldete sich eine heisere, übellaunige Stimme. »Bist du das, Theo?«

»Ja. Guten Morgen, Ike. Entschuldige, dass ich dich so früh störe.« Theo sprach so leise wie möglich in den Apparat.

»Macht nichts, Theo. Du hast bestimmt was auf dem Herzen.«

»Ja. Kann ich dich heute Morgen noch sprechen? Bei dir im Büro? Es ist was ganz Wichtiges passiert, und ich weiß nicht, ob ich es meinen Eltern erzählen kann.«

»Selbstverständlich, Theo. Wann?«

»Vielleicht kurz nach acht. Die Schule fängt um halb neun an. Wenn ich zu früh aus dem Haus gehe, wird Mom misstrauisch.«

»Geht in Ordnung. Ich freu mich.«

»Danke, Ike.«

Theo schlang sein Frühstück herunter, verabschiedete sich mit einem Kuss von seiner Mutter, sagte ein paar Worte zu Judge und raste Punkt acht mit seinem Rad durch die Mallard Lane.

Ike saß mit einem großen Becher dampfendem Kaffee und einer riesigen, dick mit Zuckerguss glasierten Zimtschnecke an seinem Schreibtisch. Die Schnecke sah köstlich aus, aber Theo hatte gerade seine Cornflakes gegessen. Außerdem hatte es ihm sowieso den Appetit verschlagen.

»Alles in Ordnung?«, erkundigte sich Ike, als sich Theo auf der äußersten Stuhlkante niederließ.

»Geht so. Ich brauche einen vertraulichen Rat von jemandem, auf den ich mich verlassen kann und der sich mit Recht auskennt.«

»Hast du irgendwen ermordet? Eine Bank überfallen?«

»Nein.«

»Du machst es aber spannend.« Ike brach ein dickes Stück Zimtschnecke ab und stopfte es sich in den Mund.

»Es geht um den Duffy-Prozess. Kann sein, dass ich was darüber weiß, ob Mr. Duffy schuldig ist oder nicht.«

Ike stützte sich auf die Ellbogen und beugte sich vor, ohne mit dem Kauen aufzuhören. »Sprich weiter.«

»Es gibt einen Zeugen, der zum Tatzeitpunkt was gesehen hat. Einen, von dem keiner weiß.«

»Und du kennst ihn?«

»Ja, aber ich habe versprochen, nichts zu verraten.«

»Wie bist du denn auf den Typen gekommen?«

»Über einen Jungen aus meiner Schule. Mehr kann ich dir nicht sagen, Ike. Das habe ich versprochen.«

Ike schluckte angespannt, griff nach seinem Becher und trank einen kräftigen Schluck Kaffee. Dabei ließ er Theo nicht aus den Augen. Eigentlich war er gar nicht so überrascht. Sein Neffe kannte mehr Anwälte, Justizangestellte, Richter und Polizisten als sonst irgendjemand.

»Und die Beobachtungen, die dieser unbekannte Zeuge gemacht hat, würden sich wesentlich auf den Prozessverlauf auswirken?«, hakte Ike nach.

»Ja.«

»Hat dieser Zeuge mit der Polizei, einem Anwalt oder irgendwelchen Prozessbeteiligten gesprochen?«

»Nein.«

»Und zum jetzigen Zeitpunkt will dieser Zeuge nicht aussagen?«

»Nein, will er nicht.«

»Weil er Angst hat?«

»Ja.«

»Würde die Aussage dieses Zeugen dazu beitragen, Mr. Duffy zu überführen, oder würde sie ihn entlasten?«

»Sie würde ihn auf jeden Fall belasten.«

»Hast du mit diesem Zeugen gesprochen?«

»Ja.«

»Und du glaubst ihm?«

»Ja. Er sagt die Wahrheit.«

Noch ein großer Schluck Kaffee. Ike schmatzte mit den Lippen. Sein Blick schien Theo durchbohren zu wollen.

»Heute ist Donnerstag, der dritte volle Verhandlungstag«, fuhr Ike fort. »Nach dem, was ich gehört habe, will Richter Gantry unbedingt diese Woche fertig werden, selbst wenn die Verhandlung am Samstag fortgesetzt werden muss. Das heißt, die Hälfte des Verfahrens ist schon vorbei.«

Theo nickte. Sein Onkel stopfte sich den Mund mit Zimtschnecke voll und kaute vor sich hin. Eine Minute verging.

Endlich schluckte Ike. »Und jetzt willst du von mir wissen, ob bei diesem Stand des Verfahrens im Hinblick auf diesen Zeugen etwas unternommen werden kann oder muss?«

»Ganz genau.«

»Ja, und wenn ich richtig unterrichtet bin, braucht Jack Hogan dringend Unterstützung. Die Anklage steht auf ziemlich wackligen Beinen und ist seit Verhandlungsbeginn noch wackliger geworden.«

»Ich dachte, das Verfahren interessiert dich nicht.«

»Ich habe Freunde, Theo. Quellen.«

Ike sprang auf und ging ans andere Ende des Zimmers, wo ein paar alte Regale mit Gesetzbüchern standen. Er fuhr mit dem Finger über mehrere Buchrücken, nahm einen Band vom Regal und fing an zu blättern. Dann ging er damit zum Schreibtisch, setzte sich, schlug das Buch vor sich auf und suchte, offenbar gezielt.

»Hier ist es«, sagte er schließlich nach langem Schweigen. »Nach der Prozessordnung kann der Richter ein Verfahren für fehlerhaft erklären. Es werden einige Beispiele genannt: ein Geschworener wird von jemandem kontaktiert, der Interesse am Ausgang des Verfahrens hat, ein wichtiger Zeuge erkrankt oder kann aus einem anderen Grund nicht aussagen, wesentliche Beweismittel verschwinden oder etwas in der Art.«

Das war Theo bekannt. »Werden irgendwo Überraschungszeugen erwähnt?«

»Nicht direkt, aber die Bestimmung ist sehr großzügig formuliert und überlässt die Entscheidung dem Richter. Man könnte damit argumentieren, dass die Abwesenheit eines wichtigen Zeugen einen Verfahrensfehler darstellt.«

»Und was passiert in einem solchen Fall?«

»Die Anklage wird zurückgenommen und neu erhoben, und es wird eine neue Hauptverhandlung angesetzt.«

»Wann?«

»Das liegt beim Richter, aber so, wie ich Gantry kenne, würde er nicht lange warten. Zwei Monate oder so. Lang genug, damit sich dieser geheimnisvolle Zeuge besinnt.«

Theos Gehirn arbeitete so fieberhaft, dass er gar nicht wusste, wo er anfangen sollte.

»So, Theo«, sagte Ike. »Die Frage ist, wie du Richter Gantry dazu bringst, das Verfahren für fehlerhaft zu erklären, bevor der Fall an die Geschworenen geht. Bevor die Jury Mr. Duffy freispricht, obwohl er schuldig ist.«

»Keine Ahnung. Da kommst du ins Spiel, Ike. Ich brauche deine Hilfe.«

Ike schob das Buch beiseite und zupfte noch ein Stück von seiner Zimtschnecke ab. Kauend überdachte er die Situation. »Wir gehen folgendermaßen vor«, sagte er dann, immer noch kauend. »Du gehst zur Schule. Ich gehe zum Gericht und sehe mich im Sitzungssaal um, recherchiere weiter und rede vielleicht mit ein paar Freunden. Natürlich ohne deinen Namen zu erwähnen. Glaub mir, Theo, ich passe schon auf dich auf. Kannst du mich in der Mittagspause anrufen?«

»Ja, sicher.«

»Dann ab mit dir.«

»Warum hast du deinen Eltern nichts davon erzählt?«, fragte Ike, als Theo schon an der Tür stand.

»Findest du, ich soll mit ihnen reden?«

»Noch nicht. Vielleicht später.«

»Die haben so strenge Moralvorstellungen, Ike, das

weißt du doch. Als Organe der Rechtspflege zwingen sie mich vielleicht, zu sagen, was ich weiß. Die Sache ist kompliziert.«

»Für einen Dreizehnjährigen ganz bestimmt.«

»Da könntest du Recht haben.«

»Ruf mich in der Mittagspause an.«

»Mach ich, Ike. Danke.«

Als Theo in der ersten Pause losstürmen wollte, um April zu suchen, hörte er jemanden am anderen Ende des Gangs seinen Namen rufen. Es war Sandy Coe, der rannte, um ihn einzuholen.

»Theo«, keuchte er. »Hast du kurz Zeit?«

»Äh, ja.«

»Ich wollte dir nur sagen, dass meine Eltern bei dem Insolvenzanwalt, diesem Mozingo, waren. Er ist sich ganz sicher, dass wir das Haus nicht verlieren.«

»Hey, das freut mich, Sandy.«

»Er sagt, meine Eltern müssen ins Insolvenzverfahren – das hast du mir ja alles schon erklärt –, aber am Ende können wir das Haus behalten.« Sandy fischte einen kleinen Umschlag aus seinem Rucksack und gab ihn Theo. »Das ist von meiner Mutter. Ich habe ihr von dir erzählt, und ich glaube, sie will sich bei dir bedanken.«

Widerstrebend nahm Theo das Kuvert entgegen. »Das war nicht nötig, Sandy. Die Sache ist doch nicht der Rede wert.«

»Nicht der Rede wert? Theo, wir können unser Haus behalten!«

Erst jetzt bemerkte Theo den feuchten Glanz in Sandys Augen, der den Tränen nahe war.

Theo klatschte mit ihm ab. »Das habe ich doch gern getan, Sandy. Und wenn ich noch was für euch tun kann, gib mir Bescheid.«

»Danke, Theo.«

Im Sozialkundeunterricht bat Mr. Mount Theo um ein Update zum Duffy-Prozess. Theo erklärte, die Anklage wolle beweisen, dass es in der Ehe der Duffys gekriselt hatte und die beiden sich vor zwei Jahren fast hätten scheiden lassen. Mehrere ihrer Freunde hatten ausgesagt, sich aber Theos Meinung nach in dem unerbittlichen Kreuzverhör von Mr. Nance nicht gut geschlagen.

Für einen Augenblick dachte Theo daran, seinen Laptop zu nehmen und das Verhandlungsprotokoll sozusagen druckfrisch abzulesen, aber dann entschied er sich dagegen. Es war nicht direkt illegal, sich in das System der Gerichtsschreiberin zu hacken, aber ganz astrein war es auch nicht.

Als die Jungen nach Ende der Stunde zur Cafeteria strömten, verschwand Theo in einer Toilette und rief Ike an. Es war fast 12.30 Uhr.

»Der wird freigesprochen«, sagte Ike am Telefon. »Hogan kommt mit seiner Anklage nicht durch. Keine Chance.«

»Wie lang warst du da?« Theo zog sich in eine Kabine zurück.

»Den ganzen Vormittag. Clifford Nance ist zu gut. Bei Hogan ist die Luft raus. Ich habe die Geschworenen beobachtet. Die mögen Pete Duffy nicht, sehen aber keine Beweise. Der Mann kommt frei.«

»Aber er ist schuldig, Ike.«

»Wenn du das sagst, Theo. Aber ich weiß nicht, was du weißt. Keiner tut das.«

»Was machen wir?«

»Ich bleibe an der Sache dran. Komm nach der Schule vorbei.«

»Geht klar.«

Zwölf

Star der achten Klasse war ein Mädchen mit braunen Locken namens Hallie. Hallie war hübsch, fröhlich und flirtete gern. Sie war Kapitän der Cheerleader und eine gute Sportlerin. Keiner der Jungen konnte es im Tennis mit ihr aufnehmen, und einmal hatte sie Brian sowohl über hundert Meter Freistil als auch über fünfzig Meter Brustschwimmen geschlagen. Da sie sich vor allem für Sport interessierte, stand Theo bestenfalls auf ihrer B-Liste. Vielleicht war es auch nur C.

Aber weil ihr Hund seinen eigenen Willen hatte, befand sich Theo auf dem aufsteigenden Ast.

Der Hund war ein Schnauzer, der es nicht leiden konnte, wenn er tagsüber allein zu Hause bleiben musste. Irgendwie war es ihm gelungen, durch eine Hundeklappe zu entwischen und sich unter dem Gartenzaun durchzubuddeln. Die städtische Tierüberwachungsbehörde hatte ihn fast einen Kilometer von zu Hause entfernt aufgegriffen. Theo hörte sich die Geschichte beim Mittagessen an, weil Hallie mit zwei Freundinnen zu seinem Tisch gerannt kam und ihm alles berichtete. Sie war in Tränen aufgelöst, und Theo stellte erstaunt fest, wie hübsch sie war, selbst wenn sie weinte. Für ihn war es ein großer Augenblick.

»Ist das schon mal vorgekommen?«, fragte er.

Sie wischte sich die Wangen ab. »Ja. Rocky ist vor ein paar Monaten schon mal erwischt worden.«

»Wird er eingeschläfert?«, fragte Edward. Edward gehörte zu einer Gruppe, die sich um Theo, Hallie und deren Freunde versammelt hatte. Hallie wirkte auf Jungen wie ein Magnet. Bei dem Gedanken, dass ihr Hund eingeschläfert werden könnte, musste sie wieder weinen.

»Halt die Klappe«, fuhr Theo Edward an, der ein ziemlicher Trampel war. »Nein, er wird nicht eingeschläfert.«

»Mein Dad ist verreist, und meine Mutter hat bis spät heute Nachmittag Patienten. Ich weiß nicht, was ich tun soll.«

Theo schob sein Essen beiseite und klappte seinen Laptop auf.

»Kein Grund zur Aufregung, Hallie. Damit kenne ich mich aus.« Er drückte ein paar Tasten, während sich die Gruppe dichter um ihn drängte. »Ich nehme an, der Hund ist angemeldet.«

In Strattenburg musste jeder Hund angemeldet und ständig beaufsichtigt werden. Herrenlose Hunde wurden eingefangen und für dreißig Tage im Tierheim untergebracht. Waren sie bis dahin nicht adoptiert, wurden sie eingeschläfert, wie Edward so taktvoll bemerkt hatte.

Hallies Familie war wohlhabend. Ihr Vater leitete ein Unternehmen, und ihre Mutter war eine gefragte Ärztin. Natürlich musste ihr Hund angemeldet sein.

»Ja«, sagte sie. »Auf meinen Vater.«

»Und wie heißt der?«, fragte Theo, während er auf die Tastatur eindrosch.

»Walter Kershaw.«

Theo tippte. Alle warteten. Das Schluchzen hatte aufgehört.

»Okay«, sagte Theo. Er hämmerte auf die Tasten ein und studierte den Bildschirm. »Ich sehe mir nur schnell das Aufnahmeprotokoll der Tierüberwachungsbehörde an.« Er tippte weiter. »Da haben wir es ja. Rocky wurde heute Morgen um halb zehn ins Tierheim gebracht. Ihm wird ein Verstoß gegen die Anleinpflicht zur Last gelegt, schon zum zweiten Mal in diesem Jahr. Das bedeutet eine Geldbuße von zwanzig Dollar, plus acht Dollar für die Unterbringung. Wenn er noch mal erwischt wird, kommt er für zehn Tage in den Zwinger, und ihr müsst hundert Dollar Strafe zahlen.«

»Wann kann ich ihn abholen?«, fragte Hallie.

»Solche Fälle werden jeden Nachmittag von vier bis sechs verhandelt, täglich außer Montag. Kannst du heute Nachmittag ins Gericht kommen?«

»Schon, aber brauche ich dazu nicht meine Eltern?«

»Nein. Ich werde da sein. Ich kenne mich aus.«

»Braucht sie keinen richtigen Anwalt?«, erkundigte sich Edward.

»Nein, nicht wenn es um Haustiere geht. Das schafft sogar ein Schwachkopf wie du.«

»Was ist mit Geld?«, fragte Hallie.

»Ich darf nichts verlangen. Ich habe noch keine Zulassung als Anwalt.«

»Ich meine doch nicht dich, Theo. Was ist mit der Geldbuße?«

»Ach so. Der Plan ist folgender: Ich fülle online einen Abholantrag aus. Damit bekennt sich Rocky sozusagen schuldig, gegen die Leinenpflicht verstoßen zu haben, was nur eine Ordnungswidrigkeit ist, und du als Tierhalterin verpflichtest dich, eine Geldbuße zu bezahlen und ihn im Tierheim abzuholen. Nach der Schule gehst du zu deiner Mutter ins Krankenhaus, besorgst dir das Geld, und wir treffen uns um vier im Gericht.«

»Danke, Theo. Ist Rocky dann auch da?«

»Nein. Rocky bleibt im Tierheim. Du kannst ihn später zusammen mit deiner Mutter abholen.«

»Wieso kann ich ihn nicht gleich im Gericht mitnehmen?«, fragte sie.

Theo war oft verblüfft, was für dumme Fragen seine Freunde stellten. Das sogenannte Tiergericht war in der Hierarchie ganz unten angesiedelt. Sein Spitzname war »Karnickelgericht«, und es wurde vom Rechtssystem wie ein ungeliebtes Stiefkind behandelt. Der Richter war ein Jurist, den keine Anwaltskanzlei in der Stadt mehr haben wollte. Er trug Bluejeans und Springerstiefel und schämte sich für seinen miesen Job. Die Vorschriften gestatteten es jeder Person, deren Tier in Schwierigkeiten war, ohne Anwalt zu erscheinen und sich selbst zu vertreten. Die meisten Anwälte machten einen Bogen um das Karnickelgericht, weil es ihnen weit unter ihrer Würde erschien. Der Sitzungssaal war im Keller des Gerichts untergebracht, weit weg von den großen Prozessen.

Was stellte sich Hallie eigentlich vor? Sollte die Polizei jeden Nachmittag Hunde und Katzen aneinanderketten, ihnen einen Maulkorb verpassen und sie vor Gericht zerren, um sie ihren Haltern zu übergeben? In Strafprozessen wurden die Beschuldigten in einer Arrestzelle untergebracht, bis sie dem Richter vorgeführt wurden, aber das galt nicht für Haustiere.

Theo verkniff sich eine dementsprechende Bemerkung und lächelte Hallie an, die jetzt noch hübscher aussah. »Tut mir leid, Hallie, aber so läuft das nicht. Du wirst sehen, heute Abend ist Rocky wieder zu Hause.«

»Danke, Theo. Du bist der Beste!«

An einem normalen Tag hätte Theo stundenlang von diesen Worten gezehrt, aber es war kein normaler Tag. Er war zu sehr mit dem Duffy-Prozess beschäftigt. Ike war im Gericht, wo Theo ihn am Nachmittag per SMS kontaktierte.

Bist du da? Bitte Update, schrieb Theo.

Auf der Galerie, antwortete Ike. *Rappelvoll. Vorbringen der Anklage um 14 h vorläufig abgeschlossen. Gute Arbeit. Hat Scheidungsgerüchte und alte Golfkumpel ins Spiel gebracht.*

Theo: *Reichen die Beweise?*

Ike: *Keine Chance. Gibt einen Freispruch. Außer …*

Theo: *Hast du einen Plan?*

Ike: *Arbeite noch dran. Kommst du her?*

Theo: *Vielleicht. Was geht?*

Ike: *Erster Zeuge der Verteidigung. Geschäftspartner von Duffy. Langweilig.*

Theo: *Muss los. Chemie. Bis später.*

Ike: *Nur 1 in Chemie. OK?*

Theo: *Geht klar.*

Obwohl die juristische Welt von Strattenburg nicht viel vom Tiergericht hielt, ging es dort selten langweilig zu. Die laufende Sache betraf eine Boa constrictor namens Hermann, die offenbar einen großen Freiheitsdrang besaß. Hermanns Ausflüge wären kein Problem gewesen, wenn sein Besitzer irgendwo draußen in einer ländlicheren Umgebung gelebt hätte. Stattdessen wohnte der dreißigjährige Punker mit dem Tattoo, das sich den Hals emporschlängelte, in einem engen Wohnblock in einem bescheidenen Viertel der Stadt. Ein Nachbar hatte zu seinem Entsetzen eines Morgens, als er sich seinen Haferbrei machen wollte, Hermann auf seinem Küchenboden gefunden.

Der Nachbar war empört. Hermanns Besitzer war aufgebracht. Die Atmosphäre war angespannt. Theo und Hallie saßen als einzige Zuschauer in dem winzigen Sitzungsraum auf Klappstühlen. Die Bibliothek von Boone & Boone war größer und sehr viel schöner.

Hermann war als Anschauungsobjekt im Raum. Er steckte in einem großen Drahtkäfig, der auf einer

Ecke des Richtertischs thronte, nicht weit von Richter Yeck, der ihn argwöhnisch beäugte. Die einzige andere Amtsträgerin im Raum war eine ältliche Justizangestellte, die seit Jahren am Gericht tätig war und als griesgrämige alte Schachtel galt. Offenbar wollte sie mit Hermann nichts zu tun haben, denn sie hatte sich in die hinterste Ecke zurückgezogen und wirkte ziemlich verängstigt.

»Wie würde Ihnen das gefallen, Richter Yeck?«, fragte der Nachbar. »Mit solch einer Kreatur im selben Haus zu leben und zu wissen, dass sie jederzeit über Ihr Bett kriechen kann, während Sie schlafen?«

»Er ist harmlos«, behauptete der Besitzer. »Er beißt nicht.«

»Harmlos? Und wenn jemand einen Herzanfall bekommt? Das ist nicht in Ordnung, Euer Ehren. Sie müssen uns schützen.«

»Harmlos aussehen tut er nicht«, stellte Richter Yeck fest. Die Blicke richteten sich auf Hermann, der sich im Käfig um einen künstlichen Ast geschlungen hatte und sich nicht rührte. Er schien zu schlafen und war sich der Bedeutung der Ereignisse offenbar nicht bewusst.

»Ist er für eine Rotschwanzboa nicht ziemlich groß?«, fragte der Richter, als hätte er ständig mit Boas zu tun.

»Zwei Meter zwanzig, soweit ich das beurteilen kann«, verkündete der Besitzer stolz. »Ziemlich lang.«

»Halten Sie in Ihrer Wohnung noch andere Schlangen?«, erkundigte sich der Richter.

»Mehrere.«

»Wie viele?«

»Vier.«

»Oh, mein Gott!« Der Nachbar wurde blass.

»Alles Boas?«, hakte der Richter nach.

»Drei Boas und eine Königsnatter.«

»Darf ich fragen, warum?«

Der Schlangenhalter rutschte auf seinem Stuhl hin und her und zuckte die Achseln. »Manche mögen Papageien oder Wüstenspringmäuse. Hunde, Katzen, Pferde, Ziegen. Ich hab's eben mit Schlangen. Das sind nette Haustiere.«

»Nette Haustiere«, zischte der Nachbar.

»Ist es das erste Mal, dass eine abhaut?«, fragte Richter Yeck.

»Ja«, behauptete Hermanns Herrchen.

»Nein«, sagte der Nachbar.

So faszinierend Hermann und seine Probleme auch waren, Theo hatte Schwierigkeiten, sich zu konzentrieren. Zwei Faktoren lenkten ihn ab. Zum einen saß Hallie dicht neben ihm, was für Theo zu den angenehmsten Erfahrungen seines Lebens gehörte. Aber selbst das wurde durch die quälende Frage überschattet, was er wegen Julios Cousin unternehmen sollte.

Der Mordprozess gewann unaufhaltsam an Fahrt. Bald würden Anklage, Verteidigung und Zeugen gehört sein, und Richter Gantry würde die Sache den Geschworenen übergeben. Die Uhr lief.

»Sie müssen uns schützen, Euer Ehren«, wiederholte der Nachbar.

»Was soll ich denn Ihrer Meinung nach tun?«, fragte Richter Yeck, der allmählich die Geduld verlor.

»Können Sie nicht anordnen, dass Hermann eingeschläfert wird?«

»Sie verlangen die Todesstrafe?«

»Warum nicht? Bei uns im Haus gibt es Kinder.«

»Scheint mir etwas überzogen.« Der Richter hatte offenbar nicht die Absicht, Hermann zum Tode zu verurteilen.

»Also bitte«, sagte der Tierhalter empört. »Der tut doch keinem was.«

»Können Sie dafür sorgen, dass die Schlangen Ihre Wohnung nicht verlassen?«, fragte der Richter.

»Ja. Sie haben mein Wort.«

»Dann gehen wir folgendermaßen vor«, entschied der Richter. »Sie nehmen Hermann mit nach Hause, und ich will ihn nie wieder sehen. Wir haben im Tierheim keinen Platz für ihn. Wir wollen ihn im Tierheim nicht haben. Im Tierheim kann keiner Hermann leiden. Verstanden?«

»Ist ja gut«, sagte der Schlangenfreund.

»Wenn Hermann noch einmal abhaut oder irgendeine von Ihren Schlangen außerhalb der Wohnung erwischt wird, muss ich die Tiere einschläfern lassen. Und zwar alle. Ist das klar?«

»Ja, Euer Ehren. Soll nicht mehr vorkommen, das verspreche ich.«

»Ich habe mir eine Axt gekauft«, drohte der Nachbar. »Eine mit langem Schaft. Hat mich im Baumarkt zwölf Dollar gekostet.« Er deutete wütend auf Hermann. »Wenn ich diese oder sonst irgendeine Schlange in meiner Wohnung oder sonst wo sehe, brauchen Sie sich gar nicht mehr zu bemühen, Euer Ehren.«

»Immer mit der Ruhe.«

»Ich schwöre Ihnen, ich bring ihn um! Hätte ich diesmal schon tun sollen, aber da habe ich nicht schnell genug geschaltet. Außerdem hatte ich keine Axt.«

»Das reicht«, sagte Richter Yeck. »Die Klage ist abgewiesen.«

Hermanns Herrchen stürzte sich auf den schweren Käfig und nahm ihn vorsichtig vom Richtertisch. Hermann wirkte völlig ungerührt. Die Debatte über seine Zukunft schien ihn nicht beeindruckt zu haben. Der Nachbar stürmte aus dem Raum. Hermann und sein Besitzer lungerten noch ein wenig herum und machten sich dann auch davon.

Als sich die Türen hinter ihnen geschlossen hatten, nahm die Justizangestellte wieder ihren Platz in der Nähe des Richtertischs ein. Der Richter blätterte in seinen Papieren, blickte auf und sah Theo und Hallie an. Außer ihnen war niemand im Saal.

»Hallo, Mr. Boone«, sagte er.

»Guten Abend, Richter Yeck.«

»Du willst das Gericht anrufen?«

»Ja, Sir. Ich muss einen Hund abholen.«

Der Richter griff nach einem Blatt Papier, seiner Prozessliste. »Rocky?«, fragte er.

»Ja, Sir.«

»Schön. Tretet vor.«

Theo und Hallie gingen durch ein kleines Schwingtor zum einzigen Tisch. Theo zeigte ihr, wo sie sitzen sollte. Er selbst blieb stehen, wie ein richtiger Anwalt.

»Du hast das Wort.« Richter Yeck genoss die Situation. Offenbar gab sich der kleine Theo Boone große Mühe, seine bildhübsche Mandantin zu beeindrucken. Lächelnd erinnerte sich der Richter an Theos ersten Auftritt in diesem Sitzungsraum. Der Junge hatte große Angst gehabt und verzweifelt um das Leben eines streunenden Mischlings gekämpft, den er mit nach Hause nahm und Judge nannte.

»Euer Ehren«, begann Theo formvollendet. »Rocky ist ein Zwergschnauzer, der auf Mr. Walter Kershaw angemeldet ist. Mr. Kershaw ist auf Geschäftsreise, und seine Ehefrau, Dr. Phyllis Kershaw, ist Kinderärztin und nicht abkömmlich. Meine Mandantin ist ihre Tochter Hallie, die die achte Klasse der Middleschool besucht.« Theo wedelte mit der Hand in Hallies Richtung. Sie wirkte völlig verschüchtert, schien aber volles Vertrauen zu Theo zu haben.

Richter Yeck lächelte auf Hallie herab. »Das ist bereits die zweite Ordnungswidrigkeit«, sagte er dann.

»Ja, Sir«, gab Theo zu. »Der erste Vorfall liegt vier Monate zurück. Mr. Kershaw hat das damals mit dem Tierheim geregelt.«

»Rocky befindet sich in Gewahrsam?«

»Ja, Sir.«

»Du bestreitest aber nicht, dass er unbeaufsichtigt war?«

»Nein, Sir, aber ich beantrage, auf Geldbuße und Unterbringungskosten zu verzichten.«

»Mit welcher Begründung?«

»Die Halter haben alle angemessenen Maßnahmen ergriffen, um zu verhindern, dass der Hund entläuft. Rocky befand sich wie immer an einem gesicherten Ort. Das Haus war abgesperrt, die Alarmanlage eingeschaltet. Die Gartentore waren geschlossen. Sie haben alles getan, um einen derartigen Vorfall zu vermeiden. Rocky ist sehr eigensinnig und ärgert sich, wenn er allein gelassen wird. Wenn er irgendwie entwischen kann, läuft er weg. Das ist den Haltern bekannt. Sie haben es nicht an der erforderlichen Sorgfalt fehlen lassen.«

Der Richter nahm seine Lesebrille ab und kaute nachdenklich auf einem der Bügel herum. »Stimmt das, Hallie?«

»Ja, Sir. Wir haben alles getan, um zu verhindern, dass Rocky wegläuft.«

»Wir haben es hier mit einem sehr intelligenten Tier zu tun, Euer Ehren«, sagte Theo. »Irgendwie ist es ihm gelungen, eine Hundeklappe in der Waschküche zu öffnen. Von dort ist er in den Garten gelangt, wo er unter dem Zaun ein Loch gegraben hat.«

»Und wenn er es wieder tut?«

»Die Halter haben vor, die Sicherheitsvorkehrungen zu verstärken.«

»Also gut. Ich erlasse euch Geldbuße und Unterbringungskosten. Aber wenn Rocky noch einmal erwischt wird, verdopple ich beides. Ist das klar?«

»Ja, Euer Ehren.«

»Die Anhörung ist beendet.«

Als sie beide im Erdgeschoss auf den Haupteingang zusteuerten, legte Hallie ihre Hand auf Theos linken Ellbogen und hakte sich bei ihm unter. Instinktiv verlangsamte er das Tempo ein wenig. Was für ein Augenblick!

»Du bist ein toller Anwalt, Theo«, sagte sie.

»Eigentlich nicht. Noch nicht.«

»Warum rufst du mich nicht mal an?«, fragte sie.

Warum nicht? Gute Frage. Wahrscheinlich, weil er davon ausgehen musste, dass sie mit anderen Jungen beschäftigt war. Sie hatte jeden Monat einen anderen Freund. Bisher war er nie auf die Idee gekommen, sich bei ihr zu melden.

»Mach ich«, sagte er, aber er wusste, dass er das nicht tun würde. Er suchte keine Freundin, und April wäre am Boden zerstört gewesen, wenn er mit einem Mädchen angebändelt hätte, das so gern flirtete wie Hallie.

Mädchen, Mordprozesse, geheime Zeugen. Das Leben war plötzlich sehr kompliziert geworden.

Dreizehn

Nachdem er sich ausgiebig von Hallie verabschiedet hatte, landete Theo wieder auf dem Boden der Tatsachen. Er rannte in den ersten Stock hinauf und sprintete zur Galerie, wo Ike in der ersten Reihe saß. Als er sich neben seinen Onkel setzte, war es schon fast fünf.

Der Zeuge war der Versicherungsvertreter, der den Duffys vor gut zwei Jahren die Police über eine Million Dollar verkauft hatte. Clifford Nance ließ sich von dem Vertreter seine Verhandlungen mit dem Paar schildern. Geschickt arbeitete er die Tatsache heraus, dass zwei Versicherungsverträge abgeschlossen worden waren, einer auf Mrs. Myra Duffy und der andere auf Mr. Pete Duffy. Beide über eine Million Dollar. Beide Policen ersetzten bestehende Verträge, denen zufolge im Todesfall jeweils fünfhunderttausend Dollar ausgezahlt worden wären. An der Transaktion war nichts Ungewöhnliches. Der Vertreter erklärte, es sei völlig normal, dass ein Ehepaar seinen Versicherungsschutz vorsorglich erhöhte, um sich für den Fall eines vorzeitigen Todes gegenseitig abzusichern. Beide Duffys wussten genau, was sie taten, und hatten keine Bedenken gegen die Erhöhung der Versicherungssumme.

Als Clifford Nance mit seiner Befragung fertig war, klang die Versicherungssumme von einer Million längst nicht mehr so verdächtig. Jack Hogan versuchte, den Zeugen im Kreuzverhör aus dem Konzept zu bringen, was ihm jedoch nicht gelang. Nachdem der Vertreter entlassen war, vertagte Richter Gantry die Verhandlung auf den folgenden Tag.

Theo sah zu, wie die Geschworenen den Saal verließen, während alle anderen warteten. Das Team der Verteidigung drängte sich mit selbstzufriedenen Mienen um Pete Duffy, einige gratulierten sich mit Handschlag zu diesem erfolgreichen Tag.

Sie wirkten sehr zuversichtlich. Omar Cheepe war nicht dabei.

»Ich will hier nicht darüber reden«, sagte Ike mit gedämpfter Stimme. »Kannst du ins Büro kommen?«

»Klar.«

»Jetzt?«

»Ich fahre dir nach.«

Zehn Minuten später saßen sie hinter verschlossener Tür in Ikes Büro.

Ike öffnete einen kleinen Kühlschrank, der hinter seinem Schreibtisch auf dem Boden stand. »Ich habe Budweiser und Sprite.«

»Budweiser«, sagte Theo.

Ike gab ihm eine Sprite und machte sich selbst eine Dose Bud auf. »Allzu viele Optionen hast du nicht«, meinte er und trank einen Schluck.

»Ist mir klar.«

»Erstens besteht die Möglichkeit, dass du nichts tust. Morgen ist Freitag, und es sieht so aus, als würde die Verteidigung ihr Vorbringen am Nachmittag vorläufig abschließen. Es heißt, Pete Duffy werde zuletzt aussagen. Kann sein, dass der Fall schon am späten Nachmittag zur Entscheidung an die Geschworenen geht. Wenn du nichts tust, zieht sich die Jury zur Beratung zurück. Die Geschworenen können den Angeklagten für schuldig oder nicht schuldig befinden. Wenn sie sich nicht einigen können, gibt es keinen Urteilsspruch.«

Theo wusste das alles. Schließlich hatte er in den letzten fünf Jahren viel mehr Verhandlungen miterlebt als Ike.

»Zweitens kannst du mit deinem geheimnisvollen Zeugen reden und versuchen, ihn zu überreden, dass er sich umgehend meldet. Ich bin mir nicht sicher, wie Richter Gantry reagiert, wenn ihm plötzlich so eine Aussage aufgetischt wird. Das ist ihm bestimmt noch nie passiert, aber er ist ein guter Richter und wird wissen, was zu tun ist.«

»Diese Person wird sich bestimmt nicht melden. Dafür hat sie viel zu viel Angst.«

»Damit wären wir bei der dritten Option. Du kannst trotzdem zum Richter gehen und ihm, ohne den Namen des Zeugen zu nennen …«

»Ich weiß gar nicht, wie er heißt.«

»Aber du weißt, wer er ist, oder?«

»Ja.«

»Du weißt, wo er wohnt?«

»Ich weiß, in welcher Gegend. Die Adresse kenne ich nicht.«

»Weißt du, wo er arbeitet?«

»Vielleicht.«

Ike musterte Theo prüfend und trank einen weiteren Schluck aus der Dose. Er wischte sich mit dem Handrücken über den Mund.

»Wie gesagt, du könntest dem Richter erklären, dass bei der Verhandlung ein wichtiger Zeuge fehlt, dessen Abwesenheit vermutlich zu einem falschen Urteilsspruch der Geschworenen führen wird, ohne dabei die Identität dieser Person preiszugeben. Der Richter wird natürlich Einzelheiten wissen wollen. Wer ist dieser Mensch? Wo arbeitet er? Wie und warum ist er zum Zeugen geworden? Was hat er genau gesehen? Und so weiter. Ich vermute, Richter Gantry wird dir tausend Fragen stellen, und wenn du die nicht beantwortest, könnte er sauer werden.«

»Mir gefällt keine der drei Optionen«, sagte Theo.

»Mir auch nicht.«

»Aber was soll ich tun, Ike?«

»Lass die Sache auf sich beruhen, Theo. Halt dich raus. Das ist keine Angelegenheit für ein Kind. Noch nicht einmal für einen Erwachsenen. Die Geschworenen stehen kurz davor, die falsche Entscheidung zu treffen, aber in Anbetracht des Beweismaterials kann man ihnen das nicht verübeln. Das System funktioniert nicht immer. Denk nur an all die Unschuldigen, die in der Todeszelle sitzen. Denk an die Schuldigen, die freigesprochen werden. Fehler passieren, Theo. Lass die Sache auf sich beruhen.«

»Aber dieser Fehler ist noch nicht passiert, und er lässt sich verhindern.«

»Da bin ich mir nicht so sicher. Es ist kaum vorstellbar, dass Richter Gantry einen großen Prozess, der kurz vor dem Abschluss steht, unterbricht, weil er von einem potenziellen Zeugen hört. Das ist höchst unwahrscheinlich, Theo.«

Dem musste Theo zustimmen. »Da hast du wohl recht.«

»Natürlich habe ich recht, Theo. Du bist noch ein Kind. Halt dich raus.«

»Okay, Ike.«

Eine lange Pause trat ein, während die beiden sich nur ansahen und darauf warteten, dass der andere etwas sagte.

Ike brach zuerst das Schweigen. »Versprich mir, dass du keine Dummheiten machst.«

»Wie was zum Beispiel?«

»Wie zum Beispiel mit dem Richter zu sprechen. Ich weiß, dass ihr alte Freunde seid.«

Eine weitere Pause folgte.

»Versprich mir das, Theo.«

»Ich verspreche, nichts zu tun, bevor ich mit dir gesprochen habe.«

»Okay.«

Theo sprang auf. »Ich muss los. Ich habe jede Menge Hausaufgaben.«

»Wie läuft's mit deinem Spanisch?«

»Bestens.«

»Du sollst eine tolle Lehrerin haben. Madame … Wie heißt sie noch?«

»Madame Monique. Die ist echt gut. Woher weißt du …«

»Ich halte mich auf dem Laufenden, Theo. Im Gegensatz zu dem, was die meisten Leute denken, bin ich kein weltfremder Eremit. Gibt es an der Schule eigentlich schon Chinesischunterricht?«

»Vielleicht an der Highschool.«

»Dann fängst du am besten privat damit an. Das ist die Sprache der Zukunft, Theo.«

Wieder einmal fand Theo die ungebetenen und völlig überflüssigen Ratschläge seines Onkels höchst nervig. »Ich überleg es mir, Ike. Im Augenblick bin ich ziemlich im Stress.«

»Vielleicht sehe ich mir morgen wieder die Verhandlung an«, meinte Ike. »Das hat heute richtig Spaß gemacht. Schick mir eine SMS.«

»Geht klar, Ike.«

Bei Boone & Boone war es sehr still, als Theo kurz nach 18.00 Uhr eintrudelte. Elsa, Vince und Dorothy waren längst gegangen. Mrs. Boone war zu Hause und überflog vermutlich einen der üblichen schlechten Romane. Um 19.00 Uhr traf sich nämlich ihr Buchclub bei Mrs. Esther Guthridge zum Abendessen, Wein und Gesprächen, die sich um fast alles drehten, nur nicht um das Buch des Monats. Der Club bestand aus zehn Frauen, die abwechselnd Bücher auswählten. Theo konnte sich nicht erinnern, wann seiner Mutter zum letzten Mal eines dieser Bücher gefallen hatte. Sie fand noch nicht einmal die gut, die sie selbst ausgesucht hatte. Jeden Monat meckerte sie an dem Buch herum, das sie lesen sollte. Das war eine ziemlich merkwürdige Art, einen Club zu führen, fand Theo.

Woods Boone packte gerade seine Aktentasche, als Theo in das Büro im ersten Stock kam. Theo fragte sich oft, warum sein Vater jeden Abend Akten und Bücher in seine Tasche stopfte und nach Hause schleppte, so als wollte er bis Mitternacht arbeiten. Das tat er nämlich nicht. Er arbeitete nie zu Hause, fasste die Aktentasche nicht einmal an, nachdem er sie wie immer im Flur unter dem Tisch neben der Haustür abgestellt hatte. Dort wartete sie die ganze Nacht, bis Mr. Boone frühmorgens zum Frühstück das Haus verließ. Im Büro angekommen, packte er die Tasche wieder aus und warf ihren Inhalt auf seinen furchtbar unordentlichen Schreibtisch.

Theo hegte den Verdacht, dass das Füllmaterial immer dasselbe war, dieselben Bücher, Akten, Papiere.

Ihm war aufgefallen, dass Anwälte nur selten ohne Aktentasche irgendwo hingingen. Höchstens vielleicht zum Mittagessen. Seine Mutter schleppte ihre auch nach Hause, aber sie öffnete sie gelegentlich und las manche Unterlagen.

»War's schön in der Schule?«, fragte Mr. Boone.

»Super.«

»Prima. Hör mal, Theo, deine Mutter hat heute Abend ihren Buchclub. Ich möchte bei Richter Plankmore vorbeischauen. Der alte Herr wird immer schwächer, und ich möchte ein paar Stunden bei ihm verbringen. Lange macht er es nicht mehr.«

»Geht klar, Dad. Kein Problem.«

Richter Plankmore war mindestens neunzig und litt an mehreren unheilbaren Krankheiten im Endstadium. Unter den Juristen von Strattenburg war er legendär, und die meisten Anwälte verehrten ihn.

»Es sind noch Spaghetti übrig, die kannst du dir in der Mikrowelle warm machen.«

»Ich komme schon zurecht, Dad, keine Sorge. Ich bleibe noch eine Stunde oder so hier und lerne für die Schule, dann gehe ich nach Hause. Um Judge kümmere ich mich.«

»Bist du sicher?«

»Kein Problem.«

Theo ging zu seinem Büro, packte seinen Rucksack aus und versuchte gerade, sich auf seine Chemiehausaufgaben zu konzentrieren, als es leise an der Hintertür klopfte. Wie am Vorabend war es Julio.

»Kann ich draußen mit dir reden?«, fragte er, sichtlich nervös.

»Komm rein«, erwiderte Theo. »Es ist keiner mehr da. Wir können uns hier unterhalten.«

»Bist du sicher?«

»Ja. Was ist los?«

Julio setzte sich, und Theo schloss die Tür.

»Ich habe vor einer Stunde mit meinem Cousin

geredet. Er ist total nervös. Heute war die Polizei auf dem Golfplatz. Er meint, du hättest ihn verpfiffen.«

»Also bitte, Julio! Ich habe keinem was erzählt, das schwöre ich dir.«

»Aber warum war die Polizei da?«

»Keine Ahnung. Hat jemand mit deinem Cousin geredet?«

»Ich glaube nicht. Der hat sich abgesetzt, als er das Polizeiauto gesehen hat.«

»Waren die Beamten in Uniform?«

»Ich glaube schon.«

»War das Auto klar als Polizeifahrzeug zu erkennen?«

»Ich glaube schon.«

»Hör mal, Julio, ich habe dir mein Wort gegeben. Ich habe wirklich niemandem was erzählt. Und wenn die Polizei deinen Cousin wegen des Mordes befragen wollte, würde sie bestimmt nicht uniformierte Beamte und Streifenwagen einsetzen. Ausgeschlossen. Das würden Kriminalbeamte mit Anzug und Krawatte in Zivilfahrzeugen übernehmen.«

»Bist du sicher?«

»Ja, da bin ich mir sicher.«

»Okay.«

»Dein Cousin wird wohl nervös, wenn er Polizisten sieht, was?«

»Das geht den meisten Illegalen so.«

»Genau das meine ich. Ich habe keinem was erzählt. Sag deinem Cousin, er soll sich nicht aufregen.«

»Nicht aufregen? Wie soll er sich nicht aufregen,

wenn er jeden Augenblick festgenommen werden kann?«

»Da hast du auch wieder recht.«

Julio war immer noch nervös. Gehetzt sah er sich in dem kleinen Raum um, als könnte sich doch irgendwo ein geheimer Lauscher versteckt halten. Beide schwiegen verlegen, während jeder darauf wartete, dass der andere etwas sagte.

»Da ist noch etwas«, meinte Julio nach einer langen Pause.

»Was?«

Mit zitternden Händen knöpfte Julio sein Hemd auf und holte eine durchsichtige Ziplock-Tüte heraus. Er legte sie vorsichtig auf Theos Schreibtisch, wie ein Geschenk, das er dringend loswerden wollte. Der Beutel enthielt zwei weiße, wenig getragene Handschuhe.

Golfhandschuhe.

»Die hat mir mein Cousin gegeben«, sagte Julio. »Die beiden Golfhandschuhe, die der Mann getragen hat, der im Haus war, als die Dame ermordet wurde. Einer für die rechte, einer für die linke Hand. Der für die rechte Hand ist neu. Der für die linke Hand ist gebraucht.«

Theo starrte die Handschuhe im Beutel an, war aber zu keiner Bewegung fähig. Für einen Augenblick hatte es auch ihm die Sprache verschlagen. »Wo hat er …«

»Als der Mann aus dem Haus gekommen ist, hat er die Handschuhe ausgezogen und in seine Golftasche getan. Später, am vierzehnten Loch, hat er diese Handschuhe in den Mülleimer neben dem Wasserspender geworfen. Mein Cousin muss die Mülleimer zweimal täglich leeren. Er hat den Mann gesehen und es komisch gefunden, dass jemand gute Handschuhe einfach wegwirft.«

»Hat der Mann ihn bemerkt?«

»Glaube ich nicht. Sonst hätte er die Handschuhe kaum liegen lassen.«

»Und das ist der Mann, der wegen des Mordes angeklagt ist?«

»Ja, ich glaube schon. Mein Cousin ist sich ziemlich sicher. Er hat ihn im Fernsehen gesehen.«

»Warum hat er die Handschuhe behalten?«

»Die Arbeiter da draußen durchsuchen den Müll nach brauchbaren Sachen. Mein Cousin hat die Handschuhe an sich genommen, aber nach ein paar Tagen ist er misstrauisch geworden. Auf dem Golfplatz wird viel getratscht, und da hat er wohl was über die Tote gehört. Deswegen hat er die Handschuhe versteckt. Jetzt hat er Angst und glaubt, die Polizei beobachtet ihn. Wenn sie die Handschuhe bei ihm finden, wer weiß? Er hat Angst, dass er Schwierigkeiten bekommt.«

»Die Polizei beobachtet ihn aber nicht.«

»Ich richte ihm das aus.«

Nach einer langen Pause deutete Theo mit dem Kopf auf die Handschuhe, die er immer noch nicht zu berühren wagte. »Und was machen wir damit?«

»Ich behalte sie jedenfalls nicht.«

»Das hatte ich befürchtet.«

»Du weißt doch, was zu tun ist, Theo, oder?«

»Ich habe keine Ahnung. Im Augenblick frage ich mich nur, wie ich in diesen Schlamassel reingeraten bin.«

»Kannst du sie nicht einfach auf der Polizeidienststelle abgeben?«

Theo biss sich auf die Zunge, damit ihm nicht ein oder zwei sarkastische oder gar boshafte Bemerkungen entschlüpften. Wie sollte Julio auch das System verstehen? *Ja, Julio, ich laufe schnell zur Polizeidienststelle, gebe am Empfang eine Tüte mit zwei Golfhandschuhen ab, erkläre, dass sie dem netten Mann gehören, der gerade wegen Mordes an seiner Frau vor Gericht steht, und der sie auch tatsächlich umgebracht hat. Ich, Theo Boone, kenne nämlich die Wahrheit, weil ich aus unerfindlichen Gründen mit einem Schlüsselzeugen gesprochen habe, von dem sonst keiner weiß, und können Sie die Handschuhe bitte einem Detective von der Mordkommission geben, aber erwähnen Sie nicht, von wem Sie sie haben.*

Armer Julio.

»Nein, das funktioniert nicht, Julio. Die Polizei würde zu viele Fragen stellen, und dann gerät dein Cousin vielleicht in Schwierigkeiten. Am besten nimmst du die Handschuhe wieder mit, und ich tue so, als hätte ich sie nie gesehen.«

»Kommt nicht infrage, Theo. Die gehören jetzt dir.« Damit sprang Julio auf und griff nach der Türklinke. »Und du hast versprochen, nichts zu erzählen«, sagte er über die Schulter, als er schon mit einem Fuß zur Tür hinaus war.

Theo stand ebenfalls auf. »Ehrensache.«

»Du hast mir dein Wort gegeben.«

»Ich weiß.«

Julio verschwand in der Dunkelheit.

Vierzehn

Judge schlang seinen Napf Spaghetti runter, aber Theo rührte seine Portion kaum an. Er stellte das Geschirr in die Maschine, schloss die Haustür ab und ging in sein Zimmer, wo er seinen Pyjama anzog, sich seinen Laptop griff und sich damit ins Bett verkroch. April war online, und sie chatteten ein paar Minuten. Sie war auch im Bett, und ihre Zimmertür war abgesperrt wie immer. Es ging ihr deutlich besser. Sie war mit ihrer Mutter Pizza essen gegangen, und die beiden hatten sogar gemeinsam lachen können. Ihr Vater war offenbar verreist, das machte die Dinge immer einfacher. Nachdem sie gute Nacht gesagt hatten, klappte Theo seinen Laptop zu und griff zur letzten Ausgabe von *Sports Illustrated*. Doch er konnte nicht lesen, weil ihm die Konzentration dafür fehlte. Da er schon in der letzten Nacht wenig geschlafen hatte, war er müde, und so döste er trotz aller Sorgen und Ängste bald ein.

Mr. Boone kam zuerst nach Hause. Er schlich die Treppe hinauf und öffnete die Tür zu Theos Zimmer. Die Angeln quietschten wie immer. Er schaltete das Licht ein und lächelte, als er seinen Sohn fest und friedlich schlafen sah. »Gute Nacht, Theo«, flüsterte er und schaltete das Licht aus.

Theo wachte auf, als sein Vater die Tür wieder schloss. Binnen Sekunden lag er auf dem Rücken und starrte an die dunkle Decke. Die tödliche Gefahr ging ihm nicht aus dem Kopf, die er in Gestalt der Golfhandschuhe in seinem Büro versteckt hatte. Ikes Rat schien ihm völlig verkehrt. Wie sollte er sich raushalten, die Existenz eines Augenzeugen ignorieren und untätig zusehen, wie das Rechtssystem aus den Fugen geriet?

Aber versprochen war versprochen, und Theo hatte Julio und seinem Cousin sein Wort gegeben, dass er ihr Geheimnis nicht verraten würde. Und wenn er es doch tat? Was, wenn er gleich morgen früh in Richter Gantrys Richterzimmer spazierte, die Handschuhe auf den Schreibtisch warf und alles erzählte? Dann war der Cousin geliefert. Jack Hogan und die Polizei würden ihn aufspüren und in Gewahrsam nehmen. Seine Aussage würde die Anklage retten. Das Verfahren würde für fehlerhaft erklärt werden. Eine neue Verhandlung würde angesetzt werden. Zeitungen und Fernsehen würden darüber berichten. Der Cousin würde als Held dastehen, aber als illegaler Einwanderer ins Gefängnis wandern.

Aber könnte sich der Cousin nicht mit Polizei und Staatsanwaltschaft auf einen Handel einigen? Würden sie nicht ein Auge zudrücken, weil sie ihn brauchten? Theo hatte keine Ahnung. Vielleicht ja, vielleicht aber auch nicht. Das Risiko war zu groß.

Dann dachte er an Mrs. Duffy. In seiner Akte hatte er einen Zeitungsausschnitt mit einem hübschen Foto von ihr. Sie war eine schöne Frau gewesen, blond mit dunklen Augen und perfekten Zähnen. Wie furchtbar mussten ihre letzten Sekunden gewesen sein, als sie entsetzt feststellen musste, dass ihr Ehemann – mit beiden Golfhandschuhen an den Händen – nicht aus irgendeinem harmlosen Grund zu Hause vorbeigekommen war, sondern weil er ihr an die Gurgel wollte.

Theos Herz raste wieder. Er warf die Decke zurück und setzte sich auf die Bettkante. Mrs. Duffy war nur zwei Jahre jünger als seine Mutter. Wie hätte er sich gefühlt, wenn jemand seine Mom auf solch bestialische Weise attackiert hätte?

Wenn die Geschworenen Mr. Duffy für nicht schuldig befanden, kam er mit einem Mord davon. Für dieses Verbrechen konnte er nie wieder vor Gericht gestellt werden. Theo wusste alles darüber: Wenn jemand von den Geschworenen freigesprochen wurde, war eine Strafverfolgung wegen derselben Tat ausgeschlossen. Da es keine weiteren Verdächtigen gab, würde der Fall nie aufgeklärt werden.

Mr. Duffy würde seine Million kassieren. Weiter Golf spielen. Vermutlich eine andere hübsche junge Frau heiraten.

Theo kroch zurück unter die Decke und versuchte, die Augen zu schließen. Er hatte eine Idee. Nach Ende des Verfahrens, wenn Mr. Duffy freigesprochen worden war, würde Theo ein paar Wochen oder Monate warten und ihm dann die Handschuhe schicken.

In einem Päckchen ohne Absender, vielleicht mit einer Nachricht. *Wir wissen, dass du der Mörder bist. Und wir behalten dich im Auge,* oder etwas in der Art.

Wozu das gut sein sollte? Das wusste er selbst nicht. Noch so eine Schnapsidee.

Seine Gedanken wurden immer wirrer. Am Tatort war kein Blut gefunden worden. Also würden die Handschuhe auch keine Blutspuren aufweisen. Aber was war mit Haaren? Vielleicht hatte sich irgendwie eine winzige Strähne von Mrs. Duffys Haar in einem Handschuh verfangen. Ihr Haar war nicht kurz gewesen, es hatte ihr bestimmt bis auf die Schultern gereicht. Theo hatte nicht gewagt, den Plastikbeutel zu öffnen. Da er die Handschuhe nicht angefasst hatte, hatte er keine Ahnung, was er dort finden könnte. Eine Haarsträhne wäre ein zusätzlicher Beweis dafür, dass Mrs. Duffy von ihrem Ehemann ermordet worden war.

Er versuchte, sich auf den spektakulären Erfolg zu konzentrieren, den er vor dem Tiergericht für Hallie, seine Mandantin und potenzielle Freundin, eingefahren hatte. Aber seine Gedanken wanderten immer wieder zurück an den Tatort. Schließlich beruhigte er sich etwas und schlief wieder ein.

Marcella Boone kam kurz vor 23.00 Uhr nach Hause. Ein Blick in den Kühlschrank, um zu sehen, was Theo gegessen hatte. Ein Blick in den Geschirrspüler, um zu prüfen, ob auch alles seine Ordnung hatte. Dann redete sie mit Woods, der im Fernsehzimmer las. Sie ging nach oben und weckte Theo zum zweiten Mal innerhalb einer Stunde. Aber er hörte sie kommen und tat während des gesamten Rituals so, als würde er schlafen. Sie schaltete das Licht nicht ein, das tat sie nie. Sie küsste ihn auf die Stirn, flüsterte »Hab dich lieb, Teddy«, und ging aus dem Zimmer.

Eine Stunde später war Theo hellwach und zermarterte sich das Gehirn wegen des Verstecks, in dem er die Handschuhe abgelegt hatte.

Als der Wecker seines Handys um 6.30 Uhr klingelte, wusste Theo nicht so recht, ob er wach war, schlief oder irgendwas dazwischen. Hatte er überhaupt geschlafen? Eines wusste er jedoch mit Sicherheit: Er war müde und gereizt, und das, obwohl ihm ein weiterer langer Tag bevorstand. Die Last, die er zu tragen hatte, war zu schwer für einen Dreizehnjährigen.

Seine Mutter stand am Herd, wo sie nur selten gesichtet wurde, und machte Würstchen und Pfannkuchen. An jedem anderen Morgen hätte Theo einen Bärenhunger gehabt und ein großes Frühstück verdrücken können. Er brachte es nicht über sich, ihr zu sagen, dass er keinen Appetit hatte.

»Gut geschlafen, Teddy?«, fragte sie, als sie ihn auf die Wange küsste.

»Eigentlich nicht«, gab er zurück.

»Warum denn nicht? Du siehst müde aus. Wirst du krank?«

»Mir geht's gut.«

»Du brauchst Orangensaft. Im Kühlschrank ist welcher.«

Sie aßen, während sie die Zeitung las. »Der Prozess scheint fast vorbei zu sein«, meinte sie und sah ihn über ihre Lesebrille hinweg an. Da sie freitags meistens vor der Arbeit kurz zur Maniküre ging, war sie noch im Bademantel.

»Ich bin nicht auf dem Laufenden«, sagte Theo.

»Das nehme ich dir nicht ab. Deine Augen sind ganz rot, Theo. Du siehst müde aus.«

»Ich sage doch, ich habe schlecht geschlafen.«

»Warum das denn?«

Weil Dad mich um zehn geweckt hat und du um elf. Aber Theo wollte seinen Eltern nicht die Schuld geben. Seine schlaflosen Nächte hatten andere Gründe. »Wir haben heute eine wichtige Prüfung«, behauptete er, was auch nicht ganz falsch war. Miss Garman hatte ihnen mit einem Geometrietest gedroht.

»Du schaffst das schon«, sagte sie und wandte sich wieder ihrer Zeitung zu. »Iss deine Würstchen.«

Er würgte genug Pfannkuchen und Würstchen herunter, dass seine Mutter zufrieden war, und bedankte sich für das tolle Frühstück. Dann verabschiedete er sich von ihr, tätschelte Judge den Kopf und radelte davon. Zehn Minuten später rannte er die Treppe zu Ikes Büro hinauf, wo sein griesgrämiger Onkel auf das zweite frühmorgendliche Treffen in zwei Tagen wartete.

Ike wirkte noch mitgenommener als am Freitag. Seine Augen waren verquollen und röter als Theos, und das wirre graue Haar hatte an diesem Morgen bestimmt noch keinen Kamm gesehen.

»Ich hoffe, du hast gute Gründe«, knurrte er.

»Habe ich.« Theo baute sich vor dem Schreibtisch auf.

»Setz dich.«

»Ich stehe lieber.«

»Wie du willst. Was gibt's?«

Theo platzte mit der Geschichte von Julio und den beiden Golfhandschuhen in der Plastiktüte raus, die jetzt hinter vergilbten Scheidungsakten von Boone & Boone in einem alten Aktenschrank im Keller lagen, wohin sich seit mindestens zehn Jahren niemand mehr verirrt hatte. Er ließ bei seiner Geschichte nichts aus, natürlich mit Ausnahme der Identität von Julio und seinem Cousin. Nach wenigen Minuten war er fertig.

Ike lauschte aufmerksam. Er kratzte sich den Bart, nahm die Brille ab, rieb sich die Augen und schlürfte seinen Kaffee. »Unglaublich«, murmelte er, als Theo verstummte.

»Was sollen wir tun, Ike?«, fragte Theo verzweifelt.

»Weiß ich nicht. Die Handschuhe muss sich ein kriminaltechnisches Labor ansehen. Vielleicht sind Hautspuren oder Haare von Mrs. Duffy dran oder DNA von Mr. Duffys Schweiß.«

An Schweiß hatte Theo nicht gedacht.

»Die Handschuhe könnten ein wesentliches Beweismittel sein.« Ike dachte laut, wobei er sich immer noch den Bart kratzte.

»Wir können nicht einfach so tun, als ob nichts wäre, Ike. Bitte, lass dir was einfallen.«

»Warum hast du die Dinger überhaupt behalten?«

»Habe ich eigentlich gar nicht. Mein Freund hat sie einfach dagelassen. Er hat Angst. Sein Cousin hat furchtbare Angst. Ich habe auch Angst. Was sollen wir tun?«

Ike stand auf, streckte sich und trank noch einen Schluck Kaffee. »Gehst du zur Schule?«

Was soll ich sonst am Freitagvormittag machen? »Natürlich. Ich bin schon spät dran.«

»Dann fahr los. Ich behalte das Gericht im Auge. Mir fällt schon was ein. Ich schicke dir dann eine SMS.«

»Danke, Ike. Du bist der Beste.«

»Krieg dich mal wieder ein.«

Theo erschien fünf Minuten zu spät im Klassenzimmer, aber Mr. Mount war guter Laune, und es herrschte noch ziemliches Chaos. Als er Theo entdeckte, zog er ihn beiseite.

»Hör mal, Theo, ich dachte mir, du könntest uns vom aktuellen Stand des Verfahrens berichten. Später, im Sozialkundeunterricht.«

Theo hatte nicht die geringste Lust, über das Verfahren zu sprechen, aber Mr. Mount konnte er nichts abschlagen. Außerdem war Mr. Mount dafür bekannt, dass er seinen Unterricht am Freitag nicht sehr sorgfältig vorbereitete. Er brauchte Theo wohl, um die Lücken zu füllen.

»Gern«, sagte Theo.

»Danke. Nur ein Update, fünfzehn Minuten

oder so. Der Fall geht heute an die Geschworenen, stimmt's?«

»Wahrscheinlich.«

Theo setzte sich. Mr. Mount klopfte auf seinen Schreibtisch und verlas die Anwesenheitsliste. Dann folgten die Ankündigungen, wie jeden Morgen. Als die Glocke zur ersten Stunde schrillte, strömten die Jungen zur Tür. Ein Klassenkamerad namens Woody folgte Theo in den Gang und schnappte ihn sich bei den Spinden. Nach einem Blick in sein Gesicht wusste Theo, dass etwas nicht stimmte.

»Theo, ich brauche Hilfe«, sagte Woody leise und sah sich dabei im Gang um. Woodys Familienleben war chaotisch. Seine Eltern waren zum zweiten oder dritten Mal verheiratet und kümmerten sich nicht viel um ihn. Er spielte in einer schlechten Garagenband, rauchte, zog sich an wie ein Straßenjunge und hatte angeblich ein kleines Tattoo auf dem Hinterteil. Wie die anderen Jungen war Theo neugierig, ob das stimmte, wollte sich aber lieber nicht persönlich davon überzeugen. Trotz dieser schwierigen Situation war Woodys Notendurchschnitt gut.

»Was ist los?«, fragte Theo. Am liebsten hätte er Woody gesagt, dass es ein extrem ungünstiger Zeitpunkt für kostenlose Rechtsberatung war. Theo hatte zu viele andere Sorgen.

»Du behältst das doch für dich?«, fragte Woody.

»Natürlich.« Super. Das hatte Theo gerade noch gefehlt. Noch ein Geheimnis.

Hallie kam vorbei, verlangsamte für einen Augenblick das Tempo und schenkte Theo ein bezauberndes Lächeln. Als sie jedoch merkte, dass er beschäftigt war, ging sie weiter.

»Mein Bruder ist letzte Nacht festgenommen worden, Theo.« Woodys Augen glänzten feucht. »Die Polizei ist nach Mitternacht zu uns nach Hause gekommen und hat ihn abgeführt. Es war furchtbar. Er sitzt im Gefängnis.«

»Was wird ihm vorgeworfen?«

»Drogen. Besitz von Hasch, vielleicht sogar Handel.«

»Zwischen Besitz und Handel gibt es einen gewaltigen Unterschied.«

»Kannst du uns helfen?«

»Das bezweifle ich. Wie alt ist er denn?«

»Siebzehn.«

Theo wusste, welchen Ruf Woodys Bruder hatte. Gut war er nicht. »Ersttäter?«, fragte Theo, obwohl er vermutete, dass das nicht der Fall war.

»Er ist letztes Jahr schon mal erwischt worden. Das war das erste Mal. Er hat eine Verwarnung wegen Besitz gekriegt.«

»Deine Eltern müssen zu einem Anwalt gehen, Woody. So einfach ist das.«

»Gar nichts ist einfach. Meine Eltern haben kein Geld dafür, und selbst wenn, würden sie es nicht für einen Anwalt ausgeben. Bei uns zu Hause herrscht Krieg, Theo. Kinder gegen Eltern, da gibt es keine Gnade. Mein Stiefvater streitet wegen dieser Drogensache ständig mit meinem Bruder und hat ihm tausendmal gesagt, dass er nicht auf ihn zählen kann, wenn ihn die Cops hochnehmen.«

Die Klingel schrillte. Der Gang war leer.

»Wir treffen uns in der Pause«, sagte Theo. »Viel werde ich dir nicht raten können, aber ich werde tun, was ich kann.«

»Danke, Theo.«

Sie huschten in Madame Moniques Klasse. Theo setzte sich, öffnete seinen Rucksack – und merkte, dass er seine Hausaufgaben nicht gemacht hatte. In diesem Augenblick war es ihm völlig egal. In diesem Augenblick war er dankbar dafür, dass er in einem ruhigen, gemütlichen Haus mit netten Eltern lebte, die nur selten laut wurden. Armer Woody.

Dann fielen ihm die Handschuhe wieder ein.

Fünfzehn

Mitten in der Geometriestunde, in der Miss Garman immer wieder auf den ominösen Test anspielte, während Theo die Wand anstarrte und versuchte wach zu bleiben, quäkte die Sprechanlage über der Tür und ließ die Klasse zusammenfahren.

»Miss Garman, ist Theo Boone in Ihrem Unterricht?« Das war die schrille Stimme von Miss Gloria, der langjährigen Schulsekretärin.

»Ja, ist er«, bestätigte Miss Garman.

»Schicken Sie ihn bitte her. Er wird abgeholt.«

Theo sammelte seine Sachen ein und stopfte sie in seinen Rucksack.

»Falls wir einen Test schreiben, kannst du ihn am Montag nachholen, Theo«, sagte Miss Garman, als er schon auf dem Weg zur Tür war.

Kann ich gut drauf verzichten, dachte Theo. »Da bin ich ja gespannt«, sagte er stattdessen.

»Schönes Wochenende, Theo«, wünschte ihm die Lehrerin.

»Ihnen auch.«

Erst im Gang holte er tief Luft und überlegte, wer ihn abholte und warum. Vielleicht machte sich seine

Mutter doch Sorgen wegen seiner roten Augen und seines müden Gesichts und wollte mit ihm zum Arzt gehen. Unwahrscheinlich. Sie war nicht der Typ, der überreagierte, und rief normalerweise den Arzt erst, wenn Theo schon halb tot war. Vielleicht hatte sein Vater seine Meinung geändert und wollte ihn doch den letzten Verhandlungstag miterleben lassen. Unwahrscheinlich. Woods Boone lebte wie immer in seiner eigenen Welt.

Vielleicht war es viel schlimmer. Vielleicht hatte ihn irgendwer verraten und die Polizei war auf der Jagd nach den Handschuhen. Falls ihn Beamte mit einem Durchsuchungsbeschluss erwarteten, war es aus mit seinen Geheimnissen, und er, Theo Boone, würde in ernste Schwierigkeiten geraten.

Er verlangsamte das Tempo. Als er um die Ecke bog, erhaschte er durch ein großes Fenster einen Blick auf den Eingang der Schule. Keine Streifenwagen. Nichts, das auf Ärger hindeutete. Er ging noch langsamer weiter.

Ike erwartete ihn. Als Theo das Sekretariat betrat, unterhielt er sich gerade mit Miss Gloria.

»Dieser Mann sagt, er sei dein Onkel.« Miss Gloria lächelte.

»Ich fürchte, das stimmt.«

»Und du musst zu einer Beerdigung nach Weeksburg?«

Ikes Blicke sprachen Bände. Theo zögerte nur einen Augenblick, dann nickte er. »Ich hasse Beerdigungen.«

»Und du kommst nicht wieder?«, fragte sie und griff nach einem Klemmbrett.

»Nein, die Beerdigung ist um halb zwei«, behauptete Ike. »Damit ist der Tag gelaufen.«

»Unterschreib hier«, sagte sie.

Theo unterschrieb und verließ das Büro. Ike fuhr einen Triumph Spitfire, einen Zweisitzer, der mindestens dreißig Jahre alt und nicht besonders gepflegt war. Wie alles in Ikes Leben drohte er auseinanderzufallen und funktionierte nur so gerade eben noch.

Erst als sie einen Block weit gefahren waren, machte Theo den Mund auf: »Beerdigung, ja? Sehr einfallsreich.«

»Hat doch geklappt.«

»Und wo wollen wir hin?«

»Du hast mich um Hilfe gebeten. Mein Rat ist, zu Boone & Boone zu fahren, deine Eltern zu versammeln und ihnen alles zu erzählen.«

Theo holte tief Luft. Dagegen war nichts einzuwenden. Die Sache war zu kompliziert für ihn.

Elsa war so überrascht, die beiden zur Eingangstür hereinplatzen zu sehen, dass sie aufsprang. »Ist was passiert?«

»Guten Morgen, Elsa«, sagte Ike. »Du siehst so exotisch aus wie immer.«

Sie trug einen orangefarbenen Pullover, Brille und Lippenstift waren darauf abgestimmt.

Sie ignorierte Ike und sah Theo an. »Was machst du denn hier?«

»Ich komme zur Beerdigung.« Theo steuerte bereits auf die Bibliothek zu.

»Kannst du bitte Woods und Marcella holen?«, fragte Ike. »Wir müssen in der Bibliothek Familienrat halten.«

Normalerweise ließ sich Elsa von niemandem etwas sagen, aber ihr war klar, dass die Sache ernst war. Zum Glück war Mrs. Boone allein in ihrem Büro, und Mr. Boone wälzte oben Akten.

Die beiden stürzten hintereinander in die Bibliothek.

Sobald Ike die Tür geschlossen hatte, sah Mrs. Boone Theo an. »Geht es dir gut?«

Mr. Boone folgte ihrem Beispiel. »Was ist los? Wieso bist du nicht in der Schule?«

»Immer mit der Ruhe«, mischte sich Ike ein. »Jetzt setzen wir uns erst mal alle hin und reden über die Sache.«

Sie setzten sich, wobei Theos Eltern ihn musterten, als hätte er ein Verbrechen begangen.

»Jetzt hört ihr erst mal mir zu«, fuhr Ike fort. »Wenn ich fertig bin, kann Theo reden. Am Mittwoch vor zwei Tagen hatte Theo ein Gespräch mit einem Schulfreund. Daraus ergab sich ein weiteres Gespräch, in dessen Verlauf Theo von Fakten erfuhr, die sich dramatisch auf den Prozess gegen Pete Duffy auswirken könnten. Kurz gesagt, es gibt einen Zeugen, von dem keiner etwas ahnt. Nicht die Polizei, nicht die Staatsanwaltschaft, nicht die Verteidigung, nur Theo und sein Freund. Da Theo nicht wusste, was er tun sollte, wandte er sich an mich. Aber ich weiß auch nicht, was wir tun sollen, deswegen sind wir hier.«

»Wieso hast du uns nichts erzählt?«, fuhr Mrs. Boone Theo an.

»Er erzählt es euch doch jetzt«, fauchte Ike zurück.

»Ich hatte Angst«, sagte Theo. »Habe ich immer noch, und ich habe diesem Freund versprochen, keinem was zu erzählen.«

»Was weiß dieser Zeuge?«, erkundigte sich Mr. Boone.

Theo sah Ike an, und Ike sah Theo an. *Nur zu,* sagte Ikes Blick. Theo räusperte sich und schaute seine Mutter an. »Also, dieser Zeuge hat sich zum Zeitpunkt des Mordes in der Nähe des Hauses der Duffys aufgehalten. Er hat gesehen, wie Mr. Duffy in einem Golfcart vorgefahren kam, seine Schuhe ausgezogen und einen Golfhandschuh an die rechte Hand gezogen hat. Danach ist er ins Haus gegangen und ein paar Minuten später wieder herausgekommen. Das war etwa um die Zeit, als Mrs. Duffy ermordet wurde. Dann hat er seine Schuhe angezogen, die Golfhandschuhe in seine Tasche gesteckt und ist weggefahren, als ob nichts passiert wäre.«

»Woher weißt du, dass es zum Zeitpunkt des Mordes war?«, fragte Mrs. Boone.

»Der Pathologe hat gesagt, sie ist gegen 11.45 Uhr gestorben. Der Zeuge hatte gerade Mittagspause, und die fing um halb zwölf an.«

»Und Mr. Duffy hat diesen Zeugen nicht gesehen?«, fragte Mr. Boone.

»Nein. Der Mann saß hinter Bäumen versteckt. Er arbeitet auf dem Golfplatz.«

»Weißt du, wie er heißt?«, fragte Mrs. Boone.

»Nein, aber ich weiß, wer er ist.«

»Hast du mit ihm geredet?«, wollte Mr. Boone wissen.

»Ja.«

»Und wo hast du mit ihm geredet?«, hakte Mrs. Boone nach.

Theo fühlte sich wie ein Prozesszeuge in einem harten Kreuzverhör. Er zögerte, und Ike sprang in die Bresche: »Er will den Namen des Zeugen und seines Freundes nicht verraten, und wenn ihr zu viele Fragen stellt, könnt ihr vielleicht auf deren Identität schließen.«

»Ich habe es versprochen«, sagte Theo flehentlich. »Ich habe versprochen, keinem ein Wort zu sagen. Ich habe keine Ahnung, was ich tun soll.«

»Deswegen ist er zuerst zu mir gekommen«, erklärte Ike. »Weil er einen Rat brauchte. Er wollte euch nicht beunruhigen, aber jetzt gibt es einen neuen Aspekt. Stimmt's, Theo?«

Seine Eltern schienen ihn mit Blicken durchbohren zu wollen. Theo wand sich auf seinem Stuhl und trommelte mit den Fingern auf den langen Eichentisch.

»Sag's schon, Theo«, befahl Ike.

»Raus mit der Sprache«, schloss sich Mr. Boone an.

Theo erzählte von den Handschuhen.

»Und die hast du?«, fragte Mrs. Boone, als er geendet hatte.

»Ja.«

»Wo sind sie jetzt?«

»Unten, hinter einem Karton mit alten Scheidungsakten versteckt.«

»Hier im Keller? In unserer Kanzlei?«

»Ja, Mom. Hier. Unter uns.«

Mr. Boone stieß einen Pfiff aus. »Oh, Mann.«

Lange herrschte Schweigen, während die vier Boones die Situation Revue passieren ließen und überlegten, welche Gesetze und Verfahrensregeln für diese ungewöhnliche Tatsachenkombination gelten mochten. Obwohl er mehr gesagt hatte, als er vorgehabt hatte, war Theo erleichtert, dass sich die Last nun auf mehrere Schultern verteilte. Seine Eltern würden wissen, was zu tun war. Ike würde ihnen raten können. Bestimmt fiel den drei Erwachsenen etwas ein.

»In der Zeitung stand, der Prozess geht vielleicht heute schon zu Ende«, gab Mrs. Boone zu bedenken.

»Ich komme gerade aus dem Gericht«, erklärte Ike. »Mr. Duffy soll heute Nachmittag aussagen, und er ist der letzte Zeuge. Nach den Schlussplädoyers geht der Fall an die Geschworenen.«

»Es heißt, Richter Gantry will morgen verhandeln lassen, bis die Geschworenen zu einem Urteil gekommen sind. Das habe ich heute Morgen im Diner gehört«, sagte Mr. Boone.

»Am Samstag?«

»Angeblich schon.«

Wieder folgte eine lange Pause. Mrs. Boone sah

ihren Sohn an. »Theo, was meinst du? Was sollen wir jetzt tun?«

Theo hatte gehofft, die Erwachsenen würden das wissen. Er wand sich ein wenig, bevor er etwas sagte. »Ich glaube, es wäre am besten, wenn wir Richter Gantry die ganze Geschichte erzählen.«

»Da bin ich ganz deiner Meinung«, pflichtete sie ihm lächelnd bei.

»Ich auch«, stimmte Ike zu.

Es war keine Überraschung – zumindest nicht für Theo –, dass sein Vater anderer Ansicht war. »Was, wenn Richter Gantry Theo unter Druck setzt, damit er Namen oder Identität seines Zeugen preisgibt? Was, wenn Theo sich weigert, den Namen auszuspucken? Was dann? Richter Gantry könnte das als Missachtung des Gerichts auslegen.«

»Ich habe keine Ahnung, was das heißt«, gab Theo zu.

»Das bedeutet Ärger«, sagte sein Vater.

»Es heißt, er kann dich einsperren lassen, bis er von dir bekommt, was er will.« Ike grinste zynisch, als wäre die ganze Sache komisch.

»Ich will aber nicht ins Gefängnis«, verkündete Theo.

»Sei nicht albern, Woods«, meinte Mrs. Boone. »Henry Gantry würde Theo nicht der Missachtung des Gerichts beschuldigen.«

»Da bin ich mir nicht so sicher«, konterte Woods. »Es gibt einen wichtigen Augenzeugen, dessen Aussage den Ausgang des Prozesses verändern könnte, und es gibt eine Person, die von diesem Augenzeugen weiß. Diese Person ist Theo, und wenn er dem Richter nicht gehorcht, könnte der ungehalten werden. Ich könnte es ihm nicht verdenken.«

»Ich will wirklich nicht ins Gefängnis«, wiederholte Theo.

»Du kommst nicht ins Gefängnis«, sagte Mrs. Boone. »Kein Richter, der bei klarem Verstand ist, sperrt einen unbescholtenen Dreizehnjährigen ein.«

Eine weitere lange Pause.

»Theo, was passiert, wenn irgendwie herauskommt, wer dieser Zeuge ist?«, fragte Mr. Boone schließlich.

»Er ist ein illegaler Einwanderer, Dad. Eigentlich dürfte er gar nicht hier sein, und er hat Angst. Wenn die Polizei seinen Namen erfährt und ihn aufspürt, wandert er ins Gefängnis, und das ist dann meine Schuld. Und wenn die Polizei ihn nicht findet, wird er sich absetzen.«

»Dann sag uns nicht, wer er ist«, riet Mrs. Boone.

»Danke, Mom. Das hatte ich auch nicht vor.«

»Sag es keinem.«

»Will ich ja gar nicht. Aber jetzt wisst ihr, dass er ein illegaler Einwanderer ist, der auf dem Golfplatz arbeitet. So jemand ist nicht schwer zu finden.«

»Und woher kennst du diese Person?«, erkundigte sich Mr. Boone.

»Er hat einen Cousin an meiner Schule, und der hat mich um Hilfe gebeten.«

»Wie alle anderen Kinder an deiner Schule«, warf Ike ein.

»Nicht alle, aber viele.«

Alle holten tief Luft. Dann sah ihn sein Vater lange an und lächelte. »Es ist die Familie aus der Obdachlosenunterkunft, stimmt's? Julio, dein Freund, der Junge, dem du Mathenachhilfe gibst. Und seine Mutter. Wie hieß die gleich noch, Marcella?«

»Carola.«

»Genau, Carola. Ich habe mich ein paarmal mit ihr unterhalten. Sie hat zwei kleinere Kinder und Julio. Die Familie stammt aus El Salvador. Julios Cousin ist der mysteriöse Augenzeuge. Habe ich recht, Theo?«

Theo nickte. *Ja, Dad, du hast es erfasst.* Und auf merkwürdige Weise fühlte er sich erleichtert. Er hatte sein Wort nicht gebrochen, und irgendjemand musste schließlich die Wahrheit erfahren.

Sechzehn

Als Theo hinter seinen Eltern und Ike her ins Gericht trottete, wurde ihm klar, dass dies vielleicht das erste Mal war, dass er das Gebäude nur widerwillig betrat. Normalerweise machte es ihm Spaß, Juristen und Justizangestellte geschäftig durch die Gänge hasten zu sehen und die große, offene Marmorhalle mit dem alten Kronleuchter und den riesigen Porträts verstorbener Richter an den Wänden zu betrachten. Er war immer gern hergekommen, aber im Augenblick spürte er nichts von dieser Freude. Theo hatte Angst vor dem, was geschehen würde, auch wenn er keine Ahnung hatte, was es sein würde.

Sie marschierten in den ersten Stock zum großen Sitzungssaal, dessen Tür geschlossen war und von einem Gerichtsdiener namens Snodgrass bewacht wurde. Von ihm erfuhren sie, dass das Gericht tagte und die Tür erst in der nächsten Pause wieder geöffnet werden würde. Also zogen sie weiter zum Büro von Richter Henry L. Gantry. Seine Sekretärin, Mrs. Irma Hardy, tippte fleißig, als sie hereinkamen.

»Guten Morgen, Irma«, sagte Mrs. Boone.

»Ja, hallo. Guten Morgen, Marcella, guten Morgen, Woods. Oh, hallo, Theo.« Mrs. Hardy war aufgestanden und hatte ihre Brille abgenommen. Offenbar wusste sie nicht so recht, wieso plötzlich die ganze Familie Boone vor ihrem Schreibtisch erschien. Sie warf Ike misstrauische Blicke zu, als hätten sich ihre Pfade vor langer Zeit unter nicht gerade idealen Umständen gekreuzt. Ike trug Jeans, weiße Turnschuhe und ein T-Shirt, hatte aber glücklicherweise einen alten braunen Blazer angezogen, der ihn halbwegs seriös wirken ließ.

»Ike Boone«, sagte er und streckte die Hand aus. »Bruder von Woods, Onkel von Theo. Ich war hier auch mal Anwalt.«

Mrs. Hardy zwang sich zu einem Lächeln, als hätte sie sich plötzlich an seinen Namen erinnert, und schüttelte ihm die Hand.

»Irma, wir müssen dringend Richter Gantry sprechen«, sagte Mrs. Boone. »Ich weiß, dass er im Augenblick in der Verhandlung ist. Deswegen sind wir hier. Wir müssen unbedingt mit ihm reden.«

Mr. Boone mischte sich ein. »Um wie viel Uhr macht er Mittagspause?«

»Normalerweise gegen zwölf, wie immer, aber er trifft sich beim Mittagessen mit Staatsanwaltschaft und Verteidigung«, erwiderte Mrs. Hardy mit einem Blick in die vier erwartungsvollen Gesichter vor ihr. »Er ist sehr beschäftigt.«

Theo sah auf die große Uhr an der Wand hinter ihr. Es war zehn nach elf.

»Wir müssen den Richter unbedingt so schnell wie

möglich sprechen«, erklärte Mrs. Boone, was Theo ein wenig forsch fand. Nun ja, sie war schließlich Scheidungsanwältin und dafür bekannt, dass sie kein Blatt vor den Mund nahm.

Aber das hier war Mrs. Hardys Terrain, und die ließ sich nicht herumschubsen. »Vielleicht kann ich euch helfen, wenn ihr mir sagt, um was es geht.«

»Ich fürchte, das ist vertraulich.« Mr. Boone runzelte die Stirn.

»Es geht wirklich nicht, Irma. Tut mir leid«, fügte Mrs. Boone hinzu.

Am anderen Ende des Raumes hingen noch mehr Porträts verstorbener Richter. Darunter standen ein paar Stühle, auf die Mrs. Hardy jetzt deutete. »Ihr könnt da warten. Ich gebe dem Richter Bescheid, sobald er in die Mittagspause geht.«

»Danke, Irma«, sagte Mrs. Boone.

»Danke«, sagte Mr. Boone.

Alle atmeten tief durch und lächelten. Dann traten die Boones den Rückzug an.

»Theo, wieso bist du nicht in der Schule?«, wollte Mrs. Hardy wissen.

»Das ist eine lange Geschichte«, erwiderte er. »Eines Tages erzähle ich sie Ihnen.«

Die vier Boones setzten sich. Binnen fünfzehn Sekunden murmelte Ike irgendwas von Rauchen und verschwand. Mrs. Boone telefonierte auf ihrem Handy mit Elsa wegen irgendeiner dringenden Sache in der Kanzlei. Mr. Boone studierte ein Dokument aus einer Akte, die er mitgebracht hatte.

Theo fiel Woody wieder ein, dessen Bruder festgenommen worden war. Er holte seinen Laptop aus dem Rucksack und fing an, die Prozessliste des Strafgerichts und die Festnahmen zu durchsuchen. Diese Daten waren online nicht öffentlich zugänglich, aber Theo verwendete wie immer den Zugangscode der Kanzlei Boone, um sich die benötigten Informationen zu besorgen.

Woodys Bruder Tony saß in der Jugendjustizvollzugsanstalt Strattenburg ein. Das war ein klangvoller Name für das Gefängnis, in dem Straftäter unter achtzehn Jahren eingesperrt wurden. Tony wurde des Besitzes von Marihuana und des beabsichtigten Handels beschuldigt, ein Verbrechen, für das er bis zu zehn Jahre ins Gefängnis wandern konnte. Da er erst siebzehn und damit minderjährig war, würde man ihm vermutlich eine Vereinbarung anbieten, bei der er zwei Jahre in einer anderen Jugendhaftanstalt absitzen musste. Dafür musste er sich allerdings schuldig bekennen. Wenn er das nicht wollte, wurde er vor ein Geschworenengericht gestellt und riskierte eine viel längere Freiheitsstrafe. Bei Jugendlichen, recherchierte Theo, die gegen das Betäubungsmittelgesetz verstießen, kam es in weniger als zwei Prozent der Fälle überhaupt zur Verhandlung.

Wenn Eltern und Stiefeltern dem Jungen nicht helfen wollten, wie Woody gesagt hatte, würde er einen Pflichtverteidiger bekommen. In Strattenburg waren diese Pflichtverteidiger sehr kompetent und hatten täglich mit ähnlichen Drogenvergehen zu tun.

Theo fasste das in aller Eile in einer E-Mail zusammen und schickte sie an Woody. Dann schrieb er eine zweite Mail an Mr. Mount und erklärte ihm, dass er nicht in der Schule war und den Sozialkundeunterricht verpassen würde. Und schließlich sandte er einen kurzen Gruß an April.

Die Uhr an der Wand schien stillzustehen. Mrs. Hardy tippte eifrig. Die toten Richter mit ihren düsteren, argwöhnischen Gesichtern schienen Theo durchdringend zu mustern, als fragten sie sich, was er im Gericht zu suchen hatte. Sein Vater telefonierte draußen im Gang wegen einer wichtigen Immobiliensache. Seine Mutter hämmerte auf ihren Laptop ein, als ginge es um Leben und Tod. Ike stand immer noch an irgendeinem Fenster und blies den Rauch aus dem Gebäude.

Theo schlenderte davon. Er ging die Treppe hinauf und schaute bei der Geschäftsstelle des Familiengerichts vorbei, weil er hoffte, Jenny dort zu finden, die jedoch nicht da war. Dann ging er zum Tiergericht, aber der Raum war leer. Schließlich stieg er eine alte, düstere Treppe hinauf, die niemand benutzte und von deren Existenz nur wenige wussten. Leise arbeitete er sich durch einen dämmrigen Gang im zweiten Stock vor, bis er zu einem verlassenen Raum kam, in dem früher die juristische Bibliothek des County untergebracht gewesen war. Überall lag eine dicke Staubschicht, und Theo hinterließ Fußabdrücke auf dem Boden, als er auf Zehenspitzen durch den Raum ging. Er öffnete die Tür zu einem kleinen Wandschrank und schloss sie wieder hinter sich. Drinnen war es so dunkel, dass er die Hand nicht vor Augen sehen konnte. Knapp über dem Boden klaffte ein Spalt, ein schmaler Schlitz, durch den Theo in den Sitzungssaal unten sehen konnte. Sozusagen aus der Vogelperspektive, hoch über den Köpfen der Geschworenen.

Es war ein hervorragender Aussichtspunkt, den Theo ein Jahr zuvor entdeckt hatte, als ein Vergewaltigungsopfer in einem Fall ausgesagt hatte, der so grauenerregend war, dass Richter Gantry den Sitzungssaal räumen ließ. Theo war bei der Aussage schlecht geworden, und er hatte sich tausendmal dafür verwünscht, dass er gelauscht hatte. Vom Saal aus war der Spalt in der Vertäfelung nicht zu erkennen. Er befand sich direkt über einer Reihe dicker Samtvorhänge über den Geschworenenbänken.

Einer von Mr. Duffys Golfkumpeln sagte als Zeuge aus, und obwohl Theo nicht alles hören konnte, verstand er das Wesentliche. Der Zeuge erklärte, dass Mr. Duffy ein ernsthafter, sehr ambitionierter Golfer war, der fest entschlossen war, sein Spiel zu verbessern, und seit vielen Jahren lieber allein spielte. Daran war nichts Ungewöhnliches. Viele Golfer, besonders die, die den Sport ernst nahmen, spielten lieber allein, um an sich zu arbeiten.

Der Sitzungssaal war überfüllt. Die Galerie konnte Theo nicht sehen, aber er ging davon aus, dass sie ebenfalls voll besetzt war. Von Mr. Duffy, der zwischen seinen Anwälten am Tisch der Verteidigung saß, war von oben gerade noch der Kopf zu erkennen. Er wirkte zuversichtlich, fast sicher, dass der Prozess für ihn günstig verlief und die Geschworenen ihn für nicht schuldig befinden würden.

Theo sah sich die Verhandlung ein paar Minuten lang an. Dann fingen Staatsanwalt und Verteidiger an herumzubrüllen, und er schlüpfte aus dem Schrank. Er war die Treppe schon halb heruntergelaufen, als er auf dem Treppenabsatz unter sich eine Bewegung bemerkte. Jemand hielt sich dort unten in der Dunkelheit verborgen. Theo blieb wie angewurzelt stehen. Qualm stieg ihm in die Nase. Dieser Jemand rauchte eine Zigarette und verstieß damit gegen die Vorschriften, weil sie sich innerhalb des Gebäudes befanden. Er blies eine gewaltige Dunstwolke in die Luft und trat in die Mitte des Absatzes. Es war Omar Cheepe, dessen massiger, kahler Schädel sichtbar wurde. Er sah Theo aus schwarzen Augen an, drehte sich wortlos um und ging davon.

Theo hatte keine Ahnung, ob Cheepe ihm gefolgt war oder ob er regelmäßig auf dem Treppenabsatz rauchte. Überall lagen Kippen herum. Vielleicht war Cheepe nicht der Einzige, der hier heimlich qualmte. Aber er hatte das Gefühl, dass diese Begegnung kein Zufall war.

Es war fast 13.00 Uhr, als Richter Gantry die Tür zu seinem Büro aufriss und direkt auf die Boones zusteuerte, die wie unartige Schulkinder warteten, die ins Direktorat zitiert worden sind. Er trug weder Robe noch Sakko, nur ein weißes Hemd. Die Ärmel hatte er hochgekrempelt, die Krawatte gelockert. Er wirkte wie ein Mann, der hart arbeitet und einer großen Belastung ausgesetzt ist.

Die Boones sprangen auf. Der Richter schenkte sich jede Begrüßung. »Ich hoffe, ihr habt gute Gründe«, sagte er nur.

»Tut uns leid«, begann Mr. Boone. »Wir wissen, wie groß der Druck im Augenblick ist.«

»Wir müssen uns bei dir entschuldigen, Henry«, setzte Mrs. Boone rasch hinzu. »Aber es geht um eine wichtige Sache, die sich auf das Verfahren auswirken könnte.«

Dadurch, dass sie ihn mit dem Vornamen ansprach und auf Förmlichkeiten verzichtete, entspannte sich die Atmosphäre etwas. Der Richter mochte noch so gereizt sein, sie ließ sich nicht einschüchtern.

»Nur fünf Minuten.« Damit griff sie nach ihrer Handtasche.

Richter Gantry funkelte Theo an, als hätte dieser soeben jemanden erschossen, warf einen Blick auf Ike und lächelte flüchtig. »Hallo, Ike. Lange nicht gesehen.«

»Allerdings, Henry«, erwiderte Ike.

Das Lächeln erlosch. »Aber wirklich nur fünf Minuten«, sagte Richter Gantry.

Eilig folgten sie ihm nach hinten in sein Büro. Als sich die Tür schloss, warf Theo über die Schulter einen Blick auf Mrs. Hardy. Sie tippte vor sich hin, als interessierte es sie gar nicht, worum es bei dem Gespräch gehen sollte. Wahrscheinlich würde sie es binnen einer halben Stunde sowieso erfahren.

Die vier Boones ließen sich auf Stühlen an einer Seite eines langen Arbeitstischs in einer Ecke des riesigen Büros nieder. Richter Gantry setzte sich ihnen gegenüber. Theo saß zwischen seinen Eltern und fühlte sich bei aller Nervosität geborgen.

Seine Mutter begann. »Henry, wir haben Grund zu der Annahme, dass es einen Zeugen für den Mord an Myra Duffy gibt. Einen Zeugen, der sich verborgen hält. Einen Zeugen, von dem weder Polizei noch Staatsanwaltschaft etwas wissen. Und schon gar nicht die Verteidigung.«

»Darf ich fragen, warum Theo dabei ist?« Die Augenbrauen des Richters waren in die Höhe geschossen und zuckten. »Der sollte doch wohl eher in der Schule sein. Das ist keine Angelegenheit für Kinder.«

Eigentlich wäre Theo im Augenblick wirklich lieber in der Schule gewesen. Andererseits ärgerte es ihn gewaltig, als »Kind« bezeichnet zu werden.

»Weil ich weiß, wer der Zeuge ist, Richter Gantry«, sagte er bedächtig. »Die anderen kennen ihn nicht, ich schon.«

Richter Gantrys Augen waren gerötet, und er wirkte sehr müde. Er blies die Luft so lange aus, dass es klang, als müsste er inneren Druck ablassen. Die tiefen Falten auf seiner Stirn wurden flacher und legten sich. »Und was für eine Rolle spielst du dabei, Ike?«

»Ich bin nur Theos Rechtsberater.« Ike fand das offenbar witzig – im Gegensatz zu den anderen.

Eine Pause. »Also, warum fangen wir nicht am Anfang an? Ich will wissen, was dieser Zeuge angeblich gesehen hat. Wer kann mir das sagen?«

»Ich«, erwiderte Theo. »Aber ich habe versprochen, dass ich seinen echten Namen nicht preisgebe.«

»Wem hast du das versprochen?«

»Dem Zeugen.«

»Du hast also mit diesem Zeugen geredet.«

»Ja, Sir.«

»Und du glaubst, er sagt die Wahrheit?«

»Ja, das glaube ich, Sir.«

Der Richter atmete wieder tief aus und rieb sich die Augen. »Also gut, Theo. Ich höre. Erzähl deine Geschichte.«

Und das tat Theo.

Als er geendet hatte, herrschte Schweigen im Raum. Richter Gantry griff langsam nach dem Telefon auf dem Tisch und drückte eine Taste. »Mrs. Hardy, bitte geben Sie dem Gerichtsdiener Bescheid, dass ich dreißig Minuten später komme. Sorgen Sie dafür, dass die Geschworenen im Geschworenenzimmer bleiben.«

»Wird erledigt«, erwiderte ihre klare Stimme.

Er ließ sich auf seinen Stuhl zurückfallen. Die vier Boones beobachteten ihn, aber er wich ihren Blicken aus.

»Und du hast die Handschuhe?« Seine Stimme war leise und sehr ruhig geworden.

»Die sind in der Kanzlei«, erklärte Mr. Boone. »Wir würden sie gern abgeben.«

Richter Gantry hob abwehrend beide Hände. »Nein, nein. Jedenfalls noch nicht. Vielleicht später, vielleicht nie. Lasst mich kurz nachdenken.« Damit erhob er sich langsam und ging zu dem Fenster hinter dem massiven Schreibtisch am anderen Ende des Raumes. Er blieb einen Augenblick lang stehen und sah nach draußen, obwohl dort nicht viel zu sehen war. Er schien vergessen zu haben, dass es ein paar Türen weiter einen Sitzungssaal voller Menschen gab, die gespannt auf ihn warteten.

»Wie habe ich mich geschlagen?«, flüsterte Theo seiner Mutter zu.

Sie lächelte und tätschelte ihm den Arm. »Gut gemacht, Teddy. Vergiss nicht zu lächeln.«

Der Richter saß wieder auf seinem Stuhl auf der anderen Seite des Tischs.

Er sah Theo an. »Warum meldet sich diese Person nicht?«

Theo zögerte. Wenn er zu viel sagte, verriet er vielleicht die Identität von Julios Cousin.

Ike sprang ihm bei. »Der Zeuge ist ein illegaler Einwanderer, wie es hier so viele gibt. Im Augenblick ist er sehr verängstigt, was man ihm nicht verdenken kann. Wenn er irgendwie Lunte riecht, taucht er ab und verschwindet für immer und ewig.«

»Er hat Angst, festgenommen zu werden, wenn er sich meldet.«

»Und Theo hat dem Jungen versprochen, keinem was zu verraten«, setzte Ike hinzu.

»Aber er findet es wichtig, dass das Gericht erfährt,

dass ein wichtiger Zeuge bei der Verhandlung nicht zugegen ist«, ergänzte Mr. Boone.

»Gleichzeitig will er die Identität des Zeugen schützen.« Das war Mrs. Boone.

»Schon verstanden.« Richter Gantry sah auf die Uhr. »Zu diesem Zeitpunkt kann ich das Verfahren nicht aufhalten. Die Geschworenen stehen kurz davor, sich zur Beratung zurückzuziehen. Selbst wenn jetzt ein Überraschungszeuge auftauchen würde, wäre es schwierig, das Verfahren zu unterbrechen, um ihn aussagen zu lassen. Und wir haben noch nicht einmal einen Überraschungszeugen. Wir haben einen Phantomzeugen. Ich muss dem Verfahren seinen Lauf lassen.«

Die Worte hallten im Raum und fielen wie Blei auf den Tisch. Theo musste ständig an Mr. Duffy denken, wie er selbstzufrieden inmitten seiner Anwälte saß, überzeugt davon, dass er mit einem Mord davonkommen würde.

»Darf ich etwas vorschlagen?«, fragte Ike.

»Natürlich, Ike. Ich kann jede Hilfe gebrauchen.«

»Es heißt, das Gericht soll morgen, am Samstag, tagen, bis ein Urteilsspruch gefällt ist.«

»Das ist richtig.«

»Warum können die Geschworenen nicht bis Montag nach Hause gehen, wie bei den meisten Verfahren? Die können auch Montagmorgen noch mit ihrer Beratung beginnen. Das ist ein Prozess, keine Notoperation. So dringend ist die Sache nicht.«

»Und was ist der Plan?«

»Ich habe keinen. Aber das würde uns Zeit verschaffen, über diesen Zeugen nachzudenken. Vielleicht findet sich ein Weg, ihm zu helfen. Ich weiß nicht. Es kommt mir nur nicht richtig vor, so überstürzt ein Urteil zu fällen, vor allem, wenn es vielleicht falsch ist.«

»Falsch?«

»Ja. Ich war zeitweise bei der Verhandlung zugegen. Ich habe die Geschworenen beobachtet. Die Anklage hatte schwache Argumente, und die sind noch weiter erschüttert worden. Pete Duffy steht kurz vor einem Freispruch.«

Richter Gantry nickte kaum merklich, so als wäre er derselben Ansicht, aber er sagte nichts. Er fing an, sich fertig zu machen. Er knöpfte seine Manschetten zu, rückte seine Krawatte zurecht, erhob sich und griff nach der schwarzen Robe, die neben der Tür hing.

»Ich überlege es mir«, sagte er schließlich. »Danke für die, äh …«

»Einmischung«, ergänzte Mr. Boone und lachte. Die Boones schoben ihre Stühle zurück und standen auf.

»Nein, überhaupt nicht, Woods. So eine Situation habe ich noch nie erlebt. Aber jeder Prozess ist anders. Danke, Theo.«

»Gerne, Euer Ehren.«

»Seht ihr euch den Rest der Verhandlung an?«

»Es gibt keine Plätze mehr«, erwiderte Theo.

»Mal sehen, was ich tun kann.«

Siebzehn

Als die Geschworenen ihre Plätze eingenommen hatten und im Sitzungssaal Ruhe eingekehrt war, richteten sich die Blicke auf Richter Gantry.

»Mr. Nance, ich glaube, Sie haben noch einen Zeugen«, sagte er.

Clifford Nance stand kerzengerade und setzte eine wichtige Miene auf. »Euer Ehren, die Verteidigung ruft Mr. Pete Duffy auf!«, verkündete er dramatisch.

Die Spannung war plötzlich mit den Händen zu greifen, als der Angeklagte zum Zeugenstand ging. Endlich, nach vier langen Verhandlungstagen, würde der Angeklagte seine Version der Geschichte erzählen. Dabei riskierte er, dass ihm die Anklage Fragen stellte. Theo wusste, dass in fünfundsechzig Prozent der Mordprozesse der Angeklagte auf eine Aussage verzichtete, und er wusste auch, warum. Erstens, weil viele Angeklagte schuldig waren und einem intelligenten, harten Kreuzverhör der Staatsanwaltschaft nicht standgehalten hätten. Zweitens, weil viele von ihnen vorbestraft waren und ihr Vorstrafenregister gegen sie verwendet werden konnte, wenn sie in den Zeugenstand traten. Bei jeder Verhandlung versuchte der

Richter, den Geschworenen zu erklären, dass der Angeklagte nicht aussagen musste, dass er weder verpflichtet war, irgendwelche Erklärungen abzugeben, noch Zeugen zu seinen Gunsten aufzubieten. Die Beweislast lag bei der Staatsanwaltschaft.

Theo wusste auch, dass Geschworene misstrauisch werden, wenn ein Angeklagter nicht aussagen will, um seinen Hals zu retten. Ob sie Pete Duffy misstrauten, hätte Theo nicht sagen können. Sie ließen ihn jedenfalls nicht aus den Augen, als er in den Zeugenstand trat, die rechte Hand hob und schwor, die Wahrheit zu sagen.

Theo konnte das alles sehen, weil er dank Richter Gantry einen Platz ganz nah am Geschehen hatte: in der zweiten Reihe hinter der Verteidigung, mit Ike zu seiner Rechten und seinem Vater zu seiner Linken. Seine Mutter hatte Termine in der Kanzlei. Angeblich konnte sie es sich nicht erlauben, den Nachmittag als Zuschauerin bei einer Verhandlung zu »verschwenden«, wobei den anderen drei Boones klar war, dass sie nichts lieber getan hätte als das.

Clifford Nance räusperte sich und bat den Angeklagten, seinen Namen zu nennen, eine notwendige, aber in Anbetracht der Umstände ziemlich alberne Formalität. Jeder im Sitzungssaal kannte Pete Duffy und wusste einiges über ihn. Mr. Nance begann mit einer Reihe einfacher Fragen. In aller Ruhe arbeitete er Duffys Hintergrund heraus: familiäre Situation, Ausbildung, Beruf, geschäftliche Tätigkeit, die Tatsache, dass er nicht vorbestraft war, und so fort.

Die beiden hatten das stundenlang geübt, und der Zeuge antwortete routiniert. Immer wieder sah er die Geschworenen an und versuchte, einen lockeren Gesprächston anzuschlagen. *Vertraut mir,* schien er ihnen sagen zu wollen. Er war ein attraktiver Mann im eleganten Anzug, was Theo ein wenig merkwürdig vorkam, weil keiner der fünf männlichen Geschworenen Blazer oder Krawatte trug. Theo hatte ganze Artikel darüber gelesen, welche Kleidung für Anwälte und ihre Mandanten in der Verhandlung strategisch am günstigsten war.

Das Geplänkel wurde schließlich interessant, als Mr. Nance die Versicherung über eine Million Dollar auf Mrs. Myra Duffy ansprach. Der Zeuge erklärte, er halte viel von Lebensversicherungen. In seiner ersten Ehe habe er als junger Mann mit kleinen Kindern immer gespart, um in eine Lebensversicherung für sich selbst und seine Frau investieren zu können. Lebensversicherungen seien ein wertvolles Mittel, um seine Familie im Falle eines vorzeitigen Todes abzusichern. Als er später seine zweite Frau Myra heiratete, habe er darauf bestanden, ebenfalls eine Lebensversicherung abzuschließen. Myra habe zugestimmt. Tatsächlich sei die Eine-Million-Police ihre Idee gewesen. Sie habe sich absichern wollen, falls ihm etwas zustieß.

Obwohl er ein wenig angespannt war, wirkte Mr. Duffy glaubhaft. Die Geschworenen hörten aufmerksam zu. Genau wie Theo, der sich immer wieder ins Gedächtnis rief, dass er gerade den größten Prozess in der Geschichte von Strattenburg erlebte. Außerdem ersparte er sich die Schule, und das sogar mit Erlaubnis.

Von der Lebensversicherung ging Mr. Nance zu Mr. Duffys geschäftlichen Unternehmungen über. Hier sammelte der Zeuge Punkte. Er gab zu, dass einige seiner Immobiliengeschäfte den Bach runtergegangen waren, dass die Banken Druck machten, dass sich mehrere Partner von ihm getrennt hatten und ihm einige Fehler unterlaufen waren. Seine Bescheidenheit war rührend und kam bei den Geschworenen gut an. Sie machte ihn noch glaubwürdiger. Dass ihm auch nur im Entferntesten die Zahlungsunfähigkeit drohte, wies er energisch von sich, wobei er eine eindrucksvolle Reihe von Maßnahmen herunterrasselte, die er zur Eindämmung seiner Schulden und zur Rettung seines Vermögens eingeleitet hatte.

Einiges davon war für Theo zu hoch, und er hegte den Verdacht, dass manche der Geschworenen auch nicht ganz folgen konnten. Aber das spielte keine Rolle. Clifford Nance hatte seinen Zeugen gründlich vorbereitet.

Der Hypothese der Anklage zufolge war Geldgier das Motiv für den Mord. Diese Theorie wirkte zunehmend dürftiger.

Dann wandte sich Mr. Nance der heiklen Frage der Eheprobleme der Duffys zu, und auch hier hielt sich der Zeuge gut. Er gab zu, dass es gekriselt hatte. Ja, sie hätten eine Eheberatung aufgesucht. Ja, sie hätten unabhängig voneinander Scheidungsanwälte konsultiert. Ja, sie hätten gestritten, wobei es aber nie zu Gewalttätigkeiten gekommen sei. Und ja, er sei einmal ausgezogen, für einen Monat, habe sich dabei aber so elend gefühlt, dass er danach erst recht entschlossen gewesen sei, die Ehe zu retten. Zum Zeitpunkt von Mrs. Duffys Tod seien sie miteinander glücklich gewesen und hätten Zukunftspläne geschmiedet.

Das erschütterte die Theorie der Anklage noch weiter.

Im Verlauf des Nachmittags kam Clifford Nance zum Thema Golf, das ausführlich behandelt wurde. Zu ausführlich, so zumindest Theos bescheidene Ansicht. Mr. Duffy behauptete steif und fest, er habe immer lieber allein Golf gespielt, und das schon seit Jahrzehnten. Mr. Nance holte eine Akte hervor, die – wie er dem Richter erklärte – die Scorekarten seines Mandanten aus den letzten zwanzig Jahren enthielt. Eine davon gab er dem Zeugen, der sie identifizierte. Sie war vierzehn Jahre alt und stammte von einem Golfplatz in Kalifornien. Er hatte einundachtzig Schläge gebraucht, neun über Par. Er hatte allein gespielt.

Eine Scorekarte folgte auf die andere, und aus der Aussage wurde schnell eine Rundreise über die Golfplätze der Vereinigten Staaten. Pete Duffy spielte viel Golf! Er nahm seinen Sport ernst. Er bewahrte seine Unterlagen auf. Und er spielte allein. Duffy erklärte, dass er auch mit Freunden und Geschäftspartnern spielte, sogar mit seinem Sohn, wenn sich die Gelegenheit bot. Aber am liebsten spielte er eben allein, auf einem leeren Platz.

Als die Tour beendet war, blieben kaum Zweifel,

dass eine weitere Theorie der Anklage widerlegt war. Der Gedanke, dass Pete Duffy den Mord zwei Jahre lang geplant haben sollte und nur angefangen hatte, allein Golf zu spielen, um keine Zeugen zu haben, schien weit hergeholt.

Vier Personen in diesem voll besetzten Sitzungssaal kennen die Wahrheit. Ich, Ike, mein Dad und Pete Duffy. Wir wissen, dass er seine Frau umgebracht hat, dachte Theo.

Der Kerl steht kurz vor einem Freispruch, und uns sind die Hände gebunden. Das perfekte Verbrechen, dachte Ike.

Wie können wir diesen geheimnisvollen Zeugen finden und dazu bringen, dass er aussagt, bevor es zu spät ist?, dachte Woods Boone.

Die letzte Scorekarte stammte vom Tag des Mordes. Mr. Duffy hatte achtzehn Löcher gespielt, sechs Schläge über Par gebraucht, und er war allein gewesen. Selbstverständlich hatte er die Scorekarte behalten, damit sie auf Richtigkeit überprüft werden konnte.

(Theo hatte schnell gelernt, dass beim Golf in die meisten Scorekarten alles andere als die tatsächliche Anzahl der Schläge eingetragen wird.)

Die Miene von Mr. Nance verdüsterte sich, als er seinen Mandanten zum Tag des Mordes befragte, und sein Mandant ging gekonnt darauf ein. Mr. Duffys Stimme wurde leiser und klang belegt, als er schmerzerfüllt über den grausamen Tod seiner Frau sprach.

Gleich fängt er an zu weinen, dachte Theo, obwohl

auch er sich der Wirkung der Aussage nicht entziehen konnte.

Pete Duffy unterdrückte die Tränen und beschrieb meisterhaft sein Entsetzen, als er die Nachricht erhielt, schilderte, wie er in seinem Golfcart nach Hause gerast war und dort die Polizei vorgefunden hatte. Die Leiche seiner Frau habe noch an Ort und Stelle gelegen, und bei ihrem Anblick sei er zusammengebrochen und habe die Hilfe eines Detectives benötigt. Später habe ihn ein Arzt untersucht und ihm Medikamente verabreicht.

Was für ein Lügner, dachte Theo. *Alles Show. Du hast deine Frau umgebracht. Es gibt einen Zeugen. Ich habe deine Handschuhe in der Kanzlei versteckt.*

Pete Duffy sprach davon, wie furchtbar es gewesen sei, ihre Familie, seine Familie und ihre Freunde anzurufen, die Beerdigung zu organisieren und durchzustehen. Er redete von seiner Einsamkeit. Von dem Leben in dem leeren Haus, in dem seine Frau ermordet worden war. Dem Gedanken daran, es zu verkaufen und wegzuziehen. Den täglichen Besuchen auf dem Friedhof.

Dann schilderte er sein Entsetzen, als er in Verdacht geriet, beschuldigt, angeklagt, verhaftet und vor Gericht gestellt wurde. Wie konnte ihn jemand des Mordes an der Frau verdächtigen, die er liebte und anbetete?

Schließlich brach er zusammen. Um Beherrschung ringend, rieb er sich die feuchten Augen und stammelte immer wieder »Entschuldigung, Entschuldigung«.

Es war sehr bewegend. Theo beobachtete die Gesichter der Geschworenen. Nichts als Mitgefühl und Sympathie. Duffy weinte um sein Leben, und es zeigte Wirkung.

Während sein Mandant versuchte, sich zu sammeln, entschied Clifford Nance, dass er ausreichend Punkte gesammelt hatte. »Keine weiteren Fragen, Euer Ehren«, verkündete er. »Ihr Zeuge, Mr. Hogan.«

Der Staatsanwalt erhob sich umgehend. »Darf ich eine kurze Pause vorschlagen, Euer Ehren?« Eine Pause würde den Schwung aus der Sache nehmen, die Geschworenen von der emotionalen Aussage ablenken, die sie gerade gehört hatten. Außerdem war es kurz nach halb vier. Alle brauchten eine Pause.

»Fünfzehn Minuten«, sagte Richter Gantry. »Dann fangen wir mit dem Kreuzverhör an.«

Aus den fünfzehn Minuten wurden dreißig.

»Er spielt auf Zeit«, meinte Ike. »Es ist Freitagnachmittag. Alle sind müde. Er wird die Geschworenen nach Hause schicken und am Montag weiterverhandeln lassen.«

»Ich weiß nicht«, meinte Woods Boone. »Vielleicht lässt er die Schlussplädoyers noch heute Nachmittag halten.«

Sie standen im Gang in der Nähe der Getränkeautomaten zusammen. Andere Zuschauergrüppchen warteten ebenfalls und sahen immer wieder auf die Uhren an den Wänden. Omar Cheepe tauchte auf und hatte offenbar Durst. Er warf ein paar Münzen in einen Automaten, wählte mit einem Seitenblick auf die Boones sein Getränk und nahm die Dose aus dem Ausgabeschlitz.

»Hogan wird ihn nicht zu fassen kriegen«, fuhr Ike fort. »Der Kerl ist glatt wie ein Aal.«

»Die Geschworenen werden keine Stunde brauchen, um ihn für nicht schuldig zu befinden«, sagte Woods.

»Der wird freigesprochen«, glaubte auch Theo.

»Ich muss wirklich wieder ins Büro«, erklärte Woods.

»Ich auch«, pflichtete Ike bei. Typisch Boone.

Doch keiner der beiden rührte sich, weil sie beide das Ende der Verhandlung miterleben wollten. Theo war einfach froh, dass alle zusammen waren und diskutierten, eine echte Seltenheit.

In die Menge im Gang geriet Bewegung, und die Zuschauer strömten zurück in den Saal. Ein paar waren während der Pause gegangen. Es war schließlich Freitagnachmittag.

Als alle wieder saßen und Ruhe eingekehrt war, nahm Richter Gantry seinen Platz am Richtertisch ein und nickte Jack Hogan zu. Es war Zeit für das Kreuzverhör. Wenn sich die Staatsanwaltschaft einen Angeklagten vorknöpfte, ging es meistens hart zur Sache.

Jack Hogan ging zum Zeugenstand und reichte Pete Duffy ein Dokument. »Erkennen Sie das, Mr. Duffy?«, fragte Hogan. Seine Stimme triefte nur so vor Misstrauen.

Duffy ließ sich Zeit, blätterte und studierte mehrere Seiten des Dokuments, Vorder- und Rückseite. »Ja«, sagte er schließlich.

»Bitte sagen Sie den Geschworenen, worum es sich handelt.«

»Um die Ankündigung einer Zwangsvollstreckung.«

»Für welche Immobilie?«

»Für das Rix Road Shopping Center.«

»Hier in Strattenburg?«

»Ja.«

»Und das Rix Road Shopping Center gehört Ihnen?«

»Ja. Mir und einem Partner.«

»Und die Bank hat Ihnen im September letzten Jahres die Ankündigung der Zwangsvollstreckung geschickt, weil Sie mit Ihren vierteljährlichen Hypothekenzahlungen im Rückstand waren. Ist das richtig?«

»Wenn die Bank das sagt.«

»Sind Sie anderer Ansicht, Mr. Duffy? Wollen Sie den Geschworenen erzählen, dass Sie im September letzten Jahres nicht mit den Hypothekenzahlungen für diese Immobilie im Rückstand waren?« Jack Hogan wedelte bei dieser Frage mit weiteren Papieren, als wäre die Tatsache mehr als hinreichend belegt.

Duffy zögerte und setzte ein gezwungenes Lächeln auf. »Ja, wir waren mit den Zahlungen im Rückstand.«

»Und wie viel hat Ihnen die Bank für diese Immobilie geliehen?«

»Zweihunderttausend Dollar.«

»Zweihunderttausend Dollar«, wiederholte Hogan

und sah die Geschworenen an. Dann ging er zu seinem Tisch, legte das eine Bündel Papiere ab und griff nach dem nächsten. »Mr. Duffy, hat Ihnen eine Lagerhalle in der Wolf Street im Gewerbegebiet von Strattenburg gehört?«

»Ja. Zusammen mit zwei Partnern.«

»Diese Lagerhalle haben Sie verkauft?«

»Ja.«

»Der Verkauf ist letzten September erfolgt?«

»Wenn Sie das sagen. Die Papiere liegen Ihnen doch bestimmt vor.«

»So ist es. Und aus meinen Unterlagen geht hervor, dass die Lagerhalle ein Jahr lang auf dem Markt war. Der geforderte Preis lag bei sechshunderttausend Dollar, die Hypothek bei der State Bank belief sich auf fünfhundertfünfzigtausend Dollar. Verkauft wurde die Lagerhalle schließlich für knapp über vierhunderttausend.« Hogan fuchtelte mit den Papieren, während er sprach. »Stimmen Sie mir zu, Mr. Duffy?«

»Das klingt plausibel.«

»Sie haben bei dem Verkauf also ziemlich viel Geld verloren, Mr. Duffy?«

»Ich habe schon bessere Geschäfte gemacht.«

»Mussten Sie die Lagerhalle um jeden Preis loswerden?«

»Nein.«

»Brauchten Sie Bargeld, Mr. Duffy?«

Der Zeuge wurde unruhig und schien sich unbehaglich zu fühlen. »Wir, meine Partner und ich, mussten die Lagerhalle verkaufen.«

In den nächsten zwanzig Minuten nahm Hogan Pete Duffy und seine Partner mit ihren Finanzproblemen auseinander. Duffy weigerte sich zuzugeben, dass er »um jeden Preis« hatte verkaufen müssen. Aber als das Kreuzverhör härter wurde, kristallisierte sich heraus, dass der Zeuge darauf angewiesen gewesen war, ein Geschäft durch das andere zu finanzieren. Hogan konnte das mehr als ausreichend dokumentieren. Er legte Kopien von zwei Klagen vor, die frühere Partner von Pete Duffy gegen ihn angestrengt hatten. Er grillte den Zeugen bezüglich der in diesen Klagen erhobenen Vorwürfe. Duffy blieb eisern dabei, er habe sich nichts zuschulden kommen lassen, und die Anschuldigungen seien völlig aus der Luft gegriffen. Er gab offen zu, dass sein Geschäft nicht besonders gut gelaufen war, beharrte aber darauf, dass er weit von der Zahlungsunfähigkeit entfernt gewesen sei.

Jack Hogan gelang es meisterhaft, Duffy als zwielichtigen Geschäftemacher darzustellen, dem das Geld ausgegangen war und dem die Gläubiger im Nacken saßen. Trotzdem schien es weit hergeholt, daraus ein Motiv für den Mord ableiten zu wollen.

Hogan wechselte das Thema, um sich für einen weiteren vernichtenden Schlag in Stellung zu bringen. Höflich erkundigte er sich nach der kriselnden Ehe der Duffys.

»Mr. Duffy, Sie haben ausgesagt, dass Sie sogar ausgezogen sind. Ist das korrekt?«, fragte er nach ein paar harmlosen Fragen.

»Ja.«

»Und diese Trennung hat einen Monat gedauert?«

»Ich würde es nicht als Trennung bezeichnen. So haben wir das nie genannt.«

»Wie haben Sie es denn genannt?«

»Wir haben uns nicht die Mühe gemacht, eine Bezeichnung dafür zu finden.«

»Verstehe. Wann sind Sie ausgezogen?«

»Ich habe nicht Protokoll geführt, aber irgendwann im Juli letzten Jahres.«

»Etwa drei Monate vor dem Mord?«

»So ungefähr.«

»Wo haben Sie denn gewohnt, nachdem Sie ausgezogen waren?«

»Ich bin gar nicht offiziell ausgezogen. Ich habe einfach ein paar Sachen gepackt und bin gegangen.«

»Okay, und wohin sind Sie gegangen?«

»Ich habe einige Nächte im Marriott ein paar Straßen weiter verbracht. Ein paarmal habe ich bei einem meiner Geschäftspartner übernachtet. Er ist geschieden und lebt allein. Es war kein sehr schöner Monat.«

»Sie waren also mal hier, mal da? Etwa einen Monat lang?«

»Das stimmt.«

»Danach sind Sie wieder zu Hause eingezogen, haben sich mit Mrs. Duffy versöhnt und lebten glücklich und zufrieden, bis sie ermordet wurde?«

»Ist das eine Frage?«

»Streichen Sie das. Hier ist eine Frage an Sie, Mr.

Duffy.« Jack Hogan schwenkte erneut Papiere. Er reichte dem Zeugen ein Dokument. Nach einem Blick darauf wurde Pete Duffy blass.

»Erkennen Sie das, Mr. Duffy?«

»Äh, ich weiß nicht so genau.« Duffy blätterte eine Seite um und versuchte offenkundig, Zeit zu gewinnen.

»Lassen Sie mich Ihnen auf die Sprünge helfen. Das ist ein vierseitiger Mietvertrag für eine Wohnung in Weeksburg, fünfzig Kilometer von hier. Eine hübsche möblierte Drei-Zimmer-Wohnung in einem schicken Haus für zweitausend Dollar pro Monat. Kommt Ihnen das bekannt vor, Mr. Duffy?«

»Eigentlich nicht. Ich, äh …«

»Ein Mietvertrag für ein Jahr, beginnend letzten Juni.«

Duffy zuckte die Achseln, als hätte er keine Ahnung. »Ich habe das nicht unterschrieben.«

»Nein, aber Ihre Sekretärin, eine gewisse Judith Maze. Mrs. Maze lebt seit zwanzig Jahren mit ihrem Ehemann hier in Strattenburg. Stimmt das, Mr. Duffy?«

»Wenn Sie das sagen. Auf jeden Fall ist sie meine Sekretärin.«

»Warum sollte sie einen Mietvertrag für solch eine Wohnung abschließen?«

»Keine Ahnung. Fragen Sie sie doch selbst.«

»Mr. Duffy, soll ich sie wirklich als Zeugin aufrufen?«

»Äh, natürlich. Von mir aus.«

»Haben Sie diese Wohnung je gesehen, Mr. Duffy?«

Duffy war verwirrt und offenkundig ins Schleudern geraten. Er warf einen Blick in Richtung Geschworene und lächelte angespannt, bevor er antwortete. »Ja, ich habe da ein paarmal übernachtet.«

»Allein?«, blaffte Hogan. Das Timing war perfekt, das Misstrauen spürbar.

»Natürlich war ich allein. Ich hatte geschäftlich dort zu tun, es wurde spät, deswegen habe ich in der Wohnung übernachtet.«

»Sehr praktisch. Wer zahlt die Miete?«

»Das weiß ich nicht. Da müssen Sie Mrs. Maze fragen.«

»Mr. Duffy, Sie wollen also den Geschworenen erzählen, dass Sie diese Wohnung nicht angemietet haben und nicht die Miete bezahlen?«

»Das ist richtig.«

»Und Sie haben nur wenige Male dort übernachtet?«

»Das stimmt.«

»Und die Anmietung dieser Wohnung hatte nichts mit den Problemen zu tun, die Sie und Mrs. Duffy hatten?«

»Nein. Ich sage doch, ich habe die Wohnung nicht gemietet.«

Für Theo, der die Wahrheit kannte, war Pete Duffys Aufrichtigkeit ernsthaft infrage gestellt. Es schien offensichtlich, dass er bezüglich der Wohnung log. Und wenn er in einem Punkt log, dann bestimmt auch in anderen.

Es lag auf der Hand, dass Jack Hogan nicht beweisen konnte, wie oft Duffy die Wohnung benutzt hatte. Er ging zum Thema Golf über, und das Kreuzverhör verlor an Schwung. Duffy wusste viel mehr über Golf als der Staatsanwalt, und die beiden stritten und zankten vielleicht eine Stunde lang.

Es war schon fast sechs, als sich Jack Hogan schließlich setzte.

Richter Gantry verlor keine Zeit. »Ich habe beschlossen, morgen nicht verhandeln zu lassen. Die Geschworenen brauchen eine Pause. Ich wünsche Ihnen ein ruhiges, erholsames Wochenende. Wir sehen uns Montagmorgen um neun. Dann werden wir die Schlussplädoyers hören, danach geht der Fall an Sie. Ihre Verhaltensregeln sind dieselben wie immer. Sprechen Sie nicht über diesen Fall. Sollte jemand mit Ihnen Kontakt aufnehmen und versuchen, über den Fall zu reden, benachrichtigen Sie mich bitte sofort. Danke für Ihre Arbeit. Bis Montag.«

Die Gerichtsdiener führten die Geschworenen durch eine Seitentür hinaus. Als sie gegangen waren, sah Richter Gantry Staatsanwalt und Verteidiger an. »Sonst noch etwas, meine Herren?«

Jack Hogan erhob sich. »Im Augenblick nicht, Euer Ehren.«

Clifford Nance stand auf und schüttelte den Kopf.

»Gut. Die Verhandlung wird vertagt auf Montagmorgen 9.00 Uhr.«

Achtzehn

Zum ersten Mal seit Tagen schlief Theo gut. Er wachte am Samstag erst spät auf, und als er und Judge nach unten gewankt kamen, tagte in der Küche eine Art Familienrat. Sein Vater stand am Herd und machte Rührei. Seine Mutter saß, noch im Bademantel, am einen Ende des Tisches, tippte auf ihrem Laptop und studierte den Monitor. Und Ike, der, soweit Theo bekannt war, in den dreizehn Jahren von Theos irdischer Existenz noch nie im Haus gewesen war, saß am anderen Ende des Tisches vor der ausgebreiteten Morgenzeitung, ging die Kleinanzeigen durch und machte sich Notizen. Er trug einen verblichenen orangefarbenen Jogginganzug und ein altes Yankees-Cap. Frühstücksgeruch lag in der Luft. Offenbar war Theo mitten in ein Gespräch geplatzt, das noch nicht beendet war. Judge marschierte schnurstracks zum Herd und fing routiniert an zu betteln.

Verschiedene Varianten von »Guten Morgen« wurden ausgetauscht. Theo ging zum Herd und sah sich das Angebot an.

»Nur Rührei«, sagte sein Vater. Er kochte noch seltener als Theos Mutter, und Theo fand, die Eier sahen noch nicht durch aus. Er goss sich Grapefruitsaft ein und setzte sich an den Tisch.

Niemand sprach, bis sich Ike zu Wort meldete. »Hier ist eine Dreizimmer-Garagenwohnung in Millmont. Sechshundert pro Monat. Das ist kein schlechtes Viertel.«

»Millmont ist okay«, meinte Mr. Boone.

»Sie verdient sieben Dollar die Stunde und arbeitet dreißig Stunden pro Woche«, sagte Mrs. Boone, ohne aufzusehen. »Wenn sie ihre Steuern bezahlt und das Notwendigste gekauft hat, bleiben vielleicht dreihundert Dollar pro Monat für die Miete übrig – wenn sie Glück hat. Sie kann sich das nicht leisten. Deswegen leben sie ja auch in der Obdachlosenunterkunft.«

»Und wo willst du eine Wohnung für dreihundert Dollar im Monat finden?«, erkundigte sich Ike etwas gereizt, ebenfalls ohne aufzusehen. Im Moment nahm überhaupt keiner Blickkontakt mit den anderen auf.

Theo beschränkte sich darauf, zuzuhören und zu beobachten.

»Wenn es eine Garagenwohnung ist, lebt der Vermieter wahrscheinlich gleich nebenan. Ich kann mir nicht vorstellen, dass so jemand an Leute aus El Salvador oder andere Ausländer vermietet«, gab Mr. Boone zu bedenken. Er lud Rührei auf einen Teller, legte einen getoasteten Weizenmuffin dazu und stellte das Ganze Theo hin, der sich leise bedankte. Endlich landete auch Ei in Judges Napf.

Theo nahm einen Bissen, kaute bedächtig und lauschte auf die Stille. Es ärgerte ihn, dass sich kein Mensch für seine Meinung zu diesem Gespräch interessierte. Die Eier waren zu matschig.

»Sind wir auf Wohnungssuche?«, fragte er schließlich.

Ike grunzte zustimmend.

Salvadorianer. Obdachlosenunterkunft. Die Hinweise verdichteten sich.

»Woods«, sagte Mrs. Boone, die immer noch tippte. »Nick Wetzel befasst sich mit Einwanderungsrecht. Ist das ein renommierter Anwalt? Ich kenne ihn nicht persönlich.«

»Macht viel Werbung«, erwiderte Mr. Boone. »Früher hat er sich im Fernsehen als Anwalt für Verkehrsunfälle angedient. Von dem würde ich die Finger lassen.«

»Nur zwei Anwälte am Ort erwähnen in ihren Anzeigen überhaupt Einwanderungsrecht«, sagte sie.

»Sprich mit beiden«, riet Ike.

»Das werde ich wohl müssen.«

»Was ist hier eigentlich los?«, fragte Theo schließlich.

»Wir haben heute noch viel vor, Theo«, sagte sein Vater, während er sich mit einer Tasse Kaffee an den Tisch setzte. »Wir beide haben heute ein wichtiges Golfspiel.«

Theo konnte ein Lächeln nicht unterdrücken. Sie spielten fast jeden Samstag, aber in den letzten Tagen hatte Theo das völlig vergessen. Wie der Rest der

Stadt war er davon ausgegangen, dass die Verhandlung am Samstag fortgesetzt werden würde, und er hatte fest vorgehabt, im Sitzungssaal zu sein.

»Super. Wann?«

»Wir fahren in einer halben Stunde.«

Dreißig Minuten später luden sie ihre Schläger in den Kofferraum von Mr. Boones Geländewagen und unterhielten sich über das schöne Wetter. Es war ein wolkenloser Tag Mitte April, es sollte bis zu einundzwanzig Grad warm werden, die Azaleen blühten, und die Nachbarn buddelten in ihren Blumenbeeten.

»Dad, wo fahren wir hin?«, fragte Theo nach ein paar Minuten. Sie waren eindeutig nicht zum städtischen Golfplatz unterwegs, dem einzigen, auf dem sie je gespielt hatten.

»Heute probieren wir mal einen neuen Platz aus.«

»Welchen?« Soweit Theo bekannt war, gab es in der Gegend nur drei.

»Waverly Creek.«

Das musste Theo erst verdauen. »Tolle Idee, Dad«, sagte er dann. »Ein Ortstermin.«

»So in der Art. Ich habe einen Mandanten, der da draußen wohnt und uns eingeladen hat. Er wird aber selbst nicht da sein. Nur wir beide. Wir spielen auf dem Creek Course, da ist es nicht so voll.«

Zehn Minuten später hielten sie an der pompösen Einfahrt zu Waverly Creek. Eine massive Steinmauer säumte die Straße bis zu einer Kurve, hinter der sie nicht mehr zu sehen war. Schwere Tore versperrten den Weg. Ein Mann in Uniform kam aus dem Pförtnerhaus und trat an den Wagen, als Mr. Boone anhielt und das Fenster runterließ.

»Guten Morgen«, sagte der mit einem Klemmbrett bewaffnete Wachmann lächelnd.

»Guten Morgen. Mein Name ist Woods Boone. Ich komme zum Golf spielen. Abschlagszeit 10.40 Uhr. Wir sind Gäste von Max Kilpatrick.«

Der Wachmann prüfte seine Liste. »Herzlich willkommen, Mr. Boone«, sagte er und gab Mr. Boone eine leuchtend gelbe Karte. »Legen Sie die hinter die Windschutzscheibe. Viel Erfolg!«

»Danke!«, gab Mr. Boone zurück, und die Tore fingen an, sich zu öffnen.

Theo war vor einigen Jahren schon einmal hier gewesen, zur Geburtstagsfeier eines Freundes, der aber inzwischen weggezogen war. Er erinnerte sich an die großen Häuser, langen Einfahrten, teuren Autos und gepflegten Rasenflächen. Sie fuhren über eine schmale Straße mit Schatten spendenden alten Bäumen und passierten ein paar Fairways. Der Platz war wie geleckt und hätte direkt aus einem Golfmagazin stammen können. An jedem Abschlag übten Golfer ihren Schwung, und auf jedem Grün beugten sich Spieler über ihre Putter. Theo wurde allmählich nervös. Er spielte leidenschaftlich gern achtzehn Löcher mit seinem Dad, wenn auf dem Platz nicht viel los war, aber er hasste es, wenn er versuchte, den Ball zu treffen, während der nächste Flight schon ungeduldig wartete.

Im Clubhaus ging es hektisch zu. Bei diesem schönen Wetter waren Dutzende von Golfern unterwegs. Mr. Boone meldete sie beim Starter an, bekam ein Cart, und sie fingen an, sich auf der Driving Range aufzuwärmen. Unwillkürlich sah sich Theo nach Julios Cousin um. Vielleicht begegnete ihnen sogar Pete Duffy selbst, der nach der harten Woche vor Gericht ein paar Löcher mit seinen Freunden spielen wollte. Er hatte am Tag seiner Festnahme eine Kaution hinterlegt und bisher keine Gefängniszelle von innen gesehen.

Und so wie der Prozess lief, würde es vermutlich auch dabei bleiben.

Theo entdeckte keinen der beiden, war aber so in Gedanken, dass er sich nicht auf seinen Golfschwung konzentrieren konnte. Er schlug ein paar Bälle in die Gegend und fing an, sich zu fragen, was aus seinem Spiel werden sollte.

Sie schlugen pünktlich ab, Mr. Boone von den blauen Tees, Theo von den weißen ein wenig weiter draußen auf dem Fairway. Sein Drive beförderte den Ball in gerader Linie keine hundert Meter weit.

»Lass den Kopf unten«, sagte sein Vater, als sie im Cart davonrollten. Das würde nicht der letzte Rat sein, den er Theo an diesem Tag erteilte. Mr. Boone spielte seit dreißig Jahren, und obwohl er selbst nur Durchschnitt war, konnte er wie die meisten Golfer der Versuchung nicht widerstehen, anderen Tipps zu geben, vor allem, wenn es sich um seinen Sohn handelte. Theo konnte damit gut umgehen. Er konnte Hilfe gebrauchen.

Vor ihnen spielte ein Vierer-Flight, hinter ihnen war niemand. Der Creek Course war kürzer und schmaler als North Nine und South Nine und deswegen bei den anderen Golfern nicht so beliebt. Die Anlage folgte dem gewundenen Waverly Creek, einem malerischen, aber hinterhältigen Flüsschen, das gern Golfbälle verschluckte. Im Gegensatz zu den anderen beiden Plätzen war der Creek Course keineswegs überfüllt.

»Hör zu, Theo«, sagte Mr. Boone, als sie in ihrem Golfcart in der Nähe des Abschlags von Nummer drei darauf warteten, dass der Vierer-Flight fertig puttete. »Der Plan ist folgender: Ike sucht nach einer Wohnung für die Peñas. Etwas Kleines, Erschwingliches. Wenn sie sich die Miete allein nicht leisten können, sind deine Mutter und ich bereit, einen Zuschuss zu zahlen. Darüber reden wir schon seit Monaten, das ist also nichts Neues. Ike, der ein großes Herz, aber ein kleines Bankkonto hat, ist ebenfalls bereit, einen Beitrag zu leisten. Wenn wir kurzfristig eine Wohnung finden, kann Carola vielleicht ihren Neffen, Julios Cousin, überreden, bei ihr einzuziehen. Das Umfeld wäre für alle wesentlich stabiler. Ike ist gerade auf der Suche. Und deine Mutter redet mit Anwälten für Einwanderungsrecht. Nach Bundesrecht besteht für illegale Einwanderer die Möglichkeit, eine Aufenthaltserlaubnis zu bekommen, wenn sich ein US-Bürger für sie verbürgt und sie eine feste Arbeit haben. Lass uns spielen.«

Sie schlugen ab, stiegen wieder in das Golfcart und

rollten über den Cartweg. Beide Bälle waren im Rough gelandet.

»Deine Mutter und ich sind bereit, uns für Julios Cousin zu verbürgen. Ich kann vermutlich einen besseren, regulären Job für ihn finden, und wenn er bei seiner Tante und ihrer Familie wohnt, kann er wahrscheinlich innerhalb von zwei Jahren eine Aufenthaltserlaubnis bekommen. Die amerikanische Staatsangehörigkeit ist natürlich eine andere Sache.«

»Wo ist der Haken?«, erkundigte sich Theo.

»Da gibt es eigentlich keinen Haken. Wir wollen den Peñas helfen, aus der Obdachlosenunterkunft herauszukommen, unabhängig davon, was mit dem Cousin passiert. Trotzdem müssen wir ihn dazu bringen, dass er sich meldet, in den Zeugenstand tritt und den Geschworenen wahrheitsgemäß erzählt, was er gesehen hat.«

»Und wie bringen wir ihn dazu?«

»An diesem Teil des Plans arbeiten wir noch.«

Theos Ball lag nah am Cartweg, keine schlechte Entfernung vom Fairway. Er landete mit einem Fünfer-Eisen einen gelungenen Schlag und platzierte den Ball fünfzig Meter vom Grün entfernt.

»Guter Schlag, Theo.«

»Manchmal habe ich eben auch Glück.«

Nummer sechs hatte einen breiten Fairway mit einem scharfen Linksknick, der am rechten Rand von luxuriösen Häusern gesäumt wurde. Vom Abschlag aus konnten sie die Rückseite von Duffys Haus sehen, das auf dem Cartweg etwa hundertfünfzig Meter von ihnen entfernt war. Am Haus daneben mähte ein Gärtner den Rasen. Bei Theos augenblicklicher Treffsicherheit konnte er nur hoffen, dass er den Mann nicht gefährdete.

Aber der Gärtner überstand den Abschlag beider Boones unbeschadet.

»Du hast gesagt, du hast Luftkarten vom Golfplatz«, sagte Mr. Boone, während sie im Schneckentempo über den Golfplatz rollten.

»Ja, stimmt. In der Kanzlei.«

»Glaubst du, du findest die Stelle, wo sich unser Zeuge versteckt hatte?«

»Vielleicht. Da drüben muss es sein.« Theo deutete auf ein dichtes Wäldchen auf der anderen Seite des Fairways. Sie fuhren an den Rand der Baumgruppe, stiegen aus und stapften umher wie Golfer, die nach einem misslungenen Schlag ihren Ball nicht mehr finden können. Ein ausgetrocknetes Bachbett zog sich durch das Wäldchen, und auf der einen Seite erhob sich eine kurze Stützwand aus zwanzig mal zwanzig Zentimeter dicken, imprägnierten Bohlen. Der ideale Platz, um ungestört ein einsames Mittagessen zu verzehren.

»Das könnte es sein.« Theo deutete auf die Stelle. »Er hat gesagt, er hat auf einem Balken gesessen und freie Sicht aufs Haus gehabt.«

Theo und Mr. Boone ließen sich auf den Bohlen nieder. Die Sicht auf die Rückseite des Hauses der Duffys war völlig frei. »Was glaubst du, wie weit ist das?«, fragte Theo.

»Hundert Meter«, erwiderte Mr. Boone ohne jedes Zögern. Als Golfer fiel es ihm leicht, Entfernungen zu schätzen. »Ein tolles Versteck. Hier sieht einen keiner. Niemand würde hinter den Bäumen suchen.«

»Auf der Luftaufnahme ist gleich da drüben, hinter den Bäumen, der Geräteschuppen zu erkennen.« Theo deutete in die vom Fairway abgewandte Richtung. »Der Cousin hat gesagt, die Arbeiter treffen sich um halb zwölf zum Mittagessen am Schuppen. Er hat sich meistens abgesetzt, um allein zu essen. Da war er wohl hier.«

»Ich habe eine Kamera dabei. Lass uns Fotos machen.« Mr. Boone holte eine kleine Digitalkamera aus seinem Golfbag. Er fotografierte das Wäldchen, das Bachbett und die Stützwand, dann drehte er sich um und machte Aufnahmen vom Fairway und den Häusern auf der anderen Seite.

»Wofür sind die Fotos?«, wollte Theo wissen.

»Vielleicht brauchen wir sie noch.«

Sie fotografierten ein paar Minuten lang, bevor sie das Wäldchen verließen. Als sie schon fast wieder am Golfcart waren, warf Theo einen Blick auf die andere Seite des Fairways. Pete Duffy stand auf seiner Terrasse und beobachtete sie durch ein Fernglas. Andere Golfer gab es nicht.

»Dad«, sagte Theo leise.

»Ich sehe ihn«, erwiderte Mr. Boone. »Lass uns die Bälle spielen.«

Sie versuchten, Duffy zu ignorieren, und führten

den zweiten Schlag aus. Keiner der Bälle landete auch nur annähernd in der Nähe des Grüns. Eilig sprangen sie in das Cart und fuhren weg. Pete Duffy ließ das Fernglas nicht einen Augenblick lang sinken.

Sie brauchten für die neun Löcher zwei Stunden und beschlossen dann, mit dem Cart North Nine und South Nine zu inspizieren. Waverly Creek war eine eindrucksvolle Anlage: prächtige Häuser, die sich an die Fairways schmiegten, teure Eigentumswohnungen, die einen kleinen See säumten, ein Spielplatz, Rad- und Joggingwege, die die Cartwege kreuzten, und vor allem wunderschöne Fairways.

Als sie sich Nummer vierzehn näherten, schlug gerade ein Vierer-Flight ab. Die Golfetikette verlangte Ruhe am Abschlag, und Mr. Boone hielt das Cart an, bevor er und Theo in Sichtweite kamen. Als die Golfer weiterzogen, fuhr Mr. Boone näher heran. Es gab einen Wasserspender, einen Mülleimer und einen Ballreiniger am Rand des Cartwegs neben einer Buchsbaumhecke.

»Julio sagt, sein Cousin hat gesehen, wie der Mann die Handschuhe in den Mülleimer bei Nummer vierzehn geworfen hat. Das muss er sein.«

»Der Cousin hat dir das nicht selbst erzählt?«, fragte Mr. Boone.

»Nein. Ich habe nur einmal mit ihm gesprochen, Mittwochabend in der Obdachlosenunterkunft. Am Abend darauf ist Julio mit den Handschuhen in die Kanzlei gekommen.«

»Wir haben also keine Ahnung, wo der Cousin war und wie oder warum er gesehen hat, wie der Mann die Handschuhe hier bei vierzehn weggeworfen hat?«

»Eigentlich nicht.«

»Und wir wissen auch nicht, warum der Cousin die Handschuhe an sich genommen hat?«

»Julio meint, die Jungen, die hier arbeiten, durchwühlen grundsätzlich den Müll.«

In aller Eile machten sie ein paar Fotos und zogen weiter, als sich ein weiterer Vierer-Flight näherte.

Neunzehn

Nach dem Golfspiel fuhren Theo und sein Vater in der Obdachlosenunterkunft in der Highland Street vorbei, um nach Julio und seinen jüngeren Geschwistern zu sehen. Carola Peña war Tellerwäscherin in einem Hotel in der Innenstadt und arbeitete jeden Samstag, was bedeutete, dass die drei Kinder in der Obdachlosenunterkunft bleiben mussten. Für die dort lebenden Kinder gab es Spiele und Unterhaltungsangebote, aber Theo wusste, dass die Samstage nicht gerade angenehm waren. Es wurde viel ferngesehen und auf dem kleinen Spielplatz herumgekickt. Wenn die Kinder Glück hatten und ein Betreuer das Geld auftreiben konnte, fuhr ein Kirchenbus zum Kino.

Während ihres Golfspiels hatten Theo und sein Vater eine Idee gehabt. Stratten College war eine kleine Privathochschule, die vor hundert Jahren gegründet worden war. Football- und Basketballmannschaft erreichten bestenfalls Highschool-Niveau, aber die Baseballmannschaft spielte in der untersten Hochschulliga, der Division III, und schlug sich dort hervorragend. Ab 14.00 Uhr würde das Team zwei Spiele hintereinander absolvieren.

Mr. Boone fragte in der Obdachlosenunterkunft beim Betreuer an. Wie zu erwarten, war Julio, der auf die Zwillinge Hector und Rita aufpassen musste, begeistert von der Aussicht, aus der Unterkunft herauszukommen. Die drei rannten praktisch zum Geländewagen und sprangen auf den Rücksitz. Minuten später hielt Mr. Boone vor dem Hotel im Parkverbot.

»Ich sage nur schnell Mrs. Peña Bescheid«, erklärte er. Er war blitzschnell wieder da. »Eure Mutter findet das eine tolle Idee«, meldete er mit breitem Grinsen.

»Danke, Mr. Boone«, sagte Julio. Die Zwillinge waren zu aufgeregt, um etwas zu sagen.

Stratten College spielte in Rotary Park, einem wunderschönen alten Stadion am Rande der Innenstadt, in der Nähe des kleinen Campus. Rotary Park war fast so alt wie das College und in der Vergangenheit Heimat mehrerer Minor-League-Mannschaften gewesen, von denen keine lange blieb. Brüsten konnte sich das Stadion höchstens mit dem später in die Hall of Fame aufgenommenen Ducky Medwick, der dort 1920 eine Saison bei einem Team der AA-Liga gespielt hatte, bevor er zu den Cardinals weiterzog. In der Nähe des Haupteingangs erinnerte eine Tafel die Fans an Duckys kurzes Gastspiel in Strattenburg, aber Theo hatte nie jemanden gesehen, der sie gelesen hätte.

Mr. Boone kaufte die Karten an einem Kassenhäuschen mit einem einzigen Schalter. Der alte Mann hatte vermutlich schon zu Duckys Zeiten dort gearbeitet. Drei Dollar für Erwachsene, ein Dollar für Kinder.

»Wollt ihr Popcorn?«, fragte Mr. Boone mit einem

Blick in die strahlenden Gesichter von Hector und Rita. Fünfmal Popcorn, fünf Limos, zwanzig Dollar. Sie gingen eine Rampe hinauf zur Tribüne in der Nähe der Spielerbank an der First Base. Es gab viel Platz und wenig Fans, daher war es den Ordnern egal, wo sie sich hinsetzten. Das Stadion fasste zweitausend Personen, und die alten Leute prahlten gern damit, dass es früher immer ausverkauft gewesen war. Theo sah sich in jeder Saison fünf oder sechs Spiele von Stratten College an, und das Stadion war nie auch nur annähernd halb voll gewesen. Trotzdem liebte er die Anlage mit der altmodischen Tribüne, dem überhängenden Dach, den Holzbänken am Spielfeldrand, dem Aufwärmbereich der Pitcher an den Foul-Linien und dem Outfieldzaun, an dem grellbunte Werbung für alles prangte, was in Strattenburg erhältlich war, vom Kammerjäger über am Ort gebrautes Bier bis hin zu Anwälten auf der Suche nach Unfallopfern. Ein richtiges Baseballstadion eben.

Es gab Leute, die es abreißen lassen wollten. Im Sommer, wenn die Collegesaison zu Ende war, stand es praktisch leer, und es wurde viel darüber geschimpft, wie teuer es im Unterhalt war. Das wunderte Theo, denn wenn er sich umsah, war kaum zu erkennen, wofür das Geld ausgegeben worden sein sollte.

Sie standen auf, als die Nationalhymne gespielt wurde, dann nahmen alle Spieler ihre Feldpositionen ein. Die vier Kinder saßen dicht beieinander, während sich Mr. Boone in der Reihe hinter ihnen niedergelassen hatte und ihrem Gespräch lauschte.

»So, Leute«, sagte Theo, der Boss. »Jetzt aber nur noch Englisch. Wir üben Englisch.«

Die Peña-Kinder sprachen untereinander automatisch Spanisch, gehorchten aber sofort und wechselten ins Englische. Hector und Rita waren erst acht und hatten keine Ahnung von Baseball. Theo fing an, ihnen das Spiel zu erklären.

Während des dritten Innings traf Mrs. Boone mit Ike ein und setzte sich zu Mr. Boone, der von den Kindern weggerutscht war. Theo versuchte, der im Flüsterton geführten Unterhaltung zu folgen. Ike hatte eine Wohnung gefunden, die fünfhundert Dollar Miete monatlich kostete. Mrs. Boone hatte mit Carola Peña noch nicht darüber gesprochen, weil sie noch bei der Arbeit war. Sie redeten auch über andere Themen, aber Theo konnte nicht alles verstehen.

Baseball kann für Achtjährige, die keinen Schimmer davon haben, ziemlich langweilig sein, und als das fünfte Inning begann, bewarfen sich Hector und Rita mit Popcorn und krochen um die Bänke. Mrs. Boone fragte sie, ob sie Eis wollten, was sie begeistert bejahten. Als sie gegangen waren, trat Theo in Aktion. Er fragte Julio, ob sie sich das Spiel von den Centerfield-Bänken aus ansehen sollten. Der war einverstanden. Sie schlenderten über die Haupttribüne, am Aufwärmbereich der Werfer vorbei und ließen sich schließlich auf den alten Sitzen direkt über dem rechten Centerfield-Zaun nieder. Sie waren allein.

»Mir gefällt die Sicht von hier«, sagte Theo. »Außerdem ist hier nie jemand.«

»Mir gefällt es hier auch«, erwiderte Julio.

Sie redeten eine Weile über den Centerfielder, dann wechselte Theo das Thema. »Hör mal, Julio, wir müssen über deinen Cousin sprechen. Leider fällt mir sein Name nicht mehr ein. Ehrlich gesagt weiß ich gar nicht, ob ich den schon mal gehört habe.«

»Bobby.«

»Bobby?«

»Eigentlich Roberto, aber Bobby gefällt ihm besser.«

»Okay. Heißt er mit Familiennamen Peña?«

»Nein. Seine Mutter und meine Mutter sind Schwestern. Sein Nachname ist Escobar.«

»Bobby Escobar.«

»*Sí.* Ja.«

»Arbeitet er immer noch auf dem Golfplatz?«

»Ja.«

»Und er wohnt immer noch in Quarry?«

»Ja. Warum fragst du?«

»Weil er im Augenblick eine wichtige Persönlichkeit ist, Julio. Er muss sich melden und der Polizei alles sagen, was er an dem Tag gesehen hat, an dem die Frau ermordet wurde.«

Julio drehte sich um und sah Theo an, als hätte der den Verstand verloren. »Das kann er nicht.«

»Vielleicht doch. Wenn ihm Schutz zugesichert wird. Keine Festnahme. Kein Gefängnis. Weißt du, was das Wort ›Straffreiheit‹ bedeutet?«

»Nein.«

»Also, in diesem Fall würde es heißen, dass er sich

mit der Polizei auf einen Handel einigt. Wenn er sich meldet und aussagt, lässt ihn die Polizei im Gegenzug in Ruhe. Er bleibt straffrei. Vielleicht kann er sogar auf legalem Weg Papiere bekommen.«

»Hast du mit der Polizei gesprochen?«

»Natürlich nicht, Julio.«

»Hast du irgendwem von der Sache erzählt?«

»Ich habe nicht verraten, wer er ist. Er ist in Sicherheit, Julio. Aber ich muss mit ihm sprechen.«

Ein Spieler des gegnerischen Teams schlug einen Ball, der vom Zaun hinter dem Rightfield abprallte, und rannte zur Third Base, um ein Triple zu erzielen. Theo musste erklären, dass es ein Unterschied war, ob der Ball über den Zaun ging oder dagegenprallte. Julio sagte, in El Salvador werde nicht viel Baseball gespielt. Hauptsächlich Fußball.

»Wann triffst du Bobby wieder?«, wollte Theo wissen.

»Vielleicht morgen. Normalerweise kommt er sonntags in die Obdachlosenunterkunft, und wir gehen zusammen in die Kirche.«

»Kann ich ihn irgendwie heute Abend noch erreichen?«

»Das weiß ich nicht. Keine Ahnung, was er so treibt.«

»Julio, die Zeit drängt.«

»Was heißt ›drängt‹«?

»Dass wir nicht viel Zeit haben. Der Prozess geht Montag zu Ende. Es ist wichtig, dass Bobby sich meldet und erzählt, was er gesehen hat.«

»Das glaube ich nicht.«

»Julio, meine Eltern sind beide Anwälte. Du kennst sie. Du kannst ihnen vertrauen. Stell dir vor, sie finden eine Wohnung für dich und deine Familie, einschließlich Bobby, eine nette Wohnung nur für euch, und verbürgen sich gleichzeitig für Bobby, damit er eine Aufenthaltserlaubnis bekommt? Überleg doch mal. Kein Versteckspiel mit der Polizei mehr. Keine Angst vor Razzien der Einwanderungsbehörde. Ihr könnt alle zusammenleben, und Bobby bekommt Papiere. Wäre das nicht toll?«

Julio starrte ins Leere und nahm alles in sich auf. »Das wäre ein Traum, Theo.«

»Dann machen wir jetzt Folgendes: Zuerst einmal musst du dich damit einverstanden erklären, dass meine Eltern eingreifen. Sie sind auf eurer Seite. Sie sind Anwälte.«

»Einverstanden.«

»Gut. Dann musst du Bobby suchen und ihn davon überzeugen, dass das eine gute Sache ist. Mach ihm klar, dass er uns vertrauen kann. Schaffst du das?«

»Ich weiß nicht.«

»Hat er deiner Mutter erzählt, was er gesehen hat?«

»Ja. Sie ist wie eine Mutter für ihn.«

»Gut. Dann soll deine Mutter mit ihm reden. Sie kann ihn bestimmt überzeugen.«

»Versprochen, dass er nicht ins Gefängnis muss?«

»Versprochen.«

»Aber er muss mit der Polizei reden?«

»Vielleicht nicht mit der Polizei, aber mit irgendwem, der mit dem Prozess zu tun hat. Vielleicht mit dem Richter, das weiß ich nicht. Aber Bobby muss sich unbedingt melden. Er ist der wichtigste Zeuge in diesem Mordprozess.«

Julio stützte die Ellbogen auf die Knie und legte den Kopf in beide Hände. Er ließ die Schultern hängen, so schwer lasteten Theos Vorschläge und Pläne auf ihm. Lange Zeit sagte keiner ein Wort. Theo sah Hector und Rita in der Ferne mit seiner Mutter reden und Eis essen. Woods und Ike waren ins Gespräch vertieft, bei den beiden eine Seltenheit. Das Spiel lief zäh.

»Was soll ich tun?«, fragte Julio.

»Sprich mit deiner Mutter. Dann redet ihr beide mit Bobby. Wir müssen uns morgen treffen, alle zusammen.«

»Okay.«

Zwanzig

Theo saß im Fernsehzimmer und sah sich im Kabelfernsehen einen Film an, als das Handy in seiner Tasche vibrierte. Es war 20.35 Uhr am Samstagabend, und der Anruf kam aus der Obdachlosenunterkunft. Er klappte das Gerät auf und meldete sich. »Hallo.«

»Theo?«, fragte Julios unverwechselbare Stimme.

»Ja, Julio, was gibt's?« Theo schaltete den Fernseher stumm. Sein Vater las im »Herrenzimmer« einen Roman, und seine Mutter lag oben im Bett, trank grünen Tee und arbeitete sich durch einen Stapel juristischer Dokumente.

»Ich habe mit Bobby geredet«, sagte Julio. »Der hat eine Scheißangst. In Quarry waren heute überall Polizisten, die die Ausweise kontrolliert und die Leute schikaniert haben. Zwei Jungen aus Guatemala haben sie mitgenommen, beides Illegale. Bobby glaubt, sie sind hinter ihm her.«

Theo ging zum Zimmer seines Vaters, während er redete. »Hör mal, Julio, falls die Polizei hinter Bobby her ist, hat das nichts mit dem Mordprozess zu tun. Das verspreche ich dir.« Theo stellte sich neben seinen Vater, der sein Buch zuklappte und aufmerksam lauschte.

»Sie waren bei ihm zu Hause, aber er hat sich ein paar Häuser weiter versteckt.«

»Hast du mit ihm geredet, Julio? Hast du ihm gesagt, was wir heute im Stadion besprochen haben?«

»Ja.«

»Und was hat er gesagt?«

»Im Augenblick hat er zu viel Angst, Theo. Er versteht nicht, wie die Dinge hier laufen. Wenn er einen Polizisten sieht, befürchtet er das Schlimmste, verstehst du? Er denkt, er muss ins Gefängnis, verliert seinen Job, sein Geld, wird nach Hause geschickt.«

»Julio, hör mir gut zu.« Stirnrunzelnd sah Theo seinen Vater an. »Er muss mit der Polizei gar nichts zu tun haben. Wenn er mir und meinen Eltern vertraut, ist er in Sicherheit. Hast du ihm das erklärt?«

»Ja.«

»Hat er es verstanden?«

»Das weiß ich nicht, Theo. Aber er will mit dir reden.«

»Super. Ich spreche mit ihm.« Theo nickte seinem Vater zu, und sein Vater nickte zurück. »Wann und wo?«

»Heute Abend ist er ständig unterwegs, weil er nicht nach Hause will. Er hat Angst, dass die Polizei mitten in der Nacht zurückkommt und ihn verhaftet. Aber ich kann ihn erreichen.«

Theo hätte fast gefragt, wie, verkniff es sich aber. »Ich finde, wir müssen heute Abend noch über die Sache sprechen.«

Sein Vater nickte erneut.

»Okay. Was soll ich ihm ausrichten?«

»Sag ihm, er soll mich irgendwo treffen.«

»Wo?«

Theo fiel auf die Schnelle nichts ein, aber sein Vater war ihm einen Schritt voraus. »Truman Park, am Karussell«, flüsterte er.

»Was ist mit Truman Park?«, fragte Theo.

»Wo ist das?«

»Das ist die große Grünanlage am Ende der Main Street mit Springbrunnen und Statuen und so Zeug. Truman Park findet jeder.«

»Okay.«

»Sag ihm, er soll um halb zehn da sein, in etwa einer Stunde. Wir treffen uns am Karussell.«

»Was ist ein Karussell?«

»So ein buntes Ding für kleine Kinder und ihre Mütter, das sich dreht, mit Ponyfiguren zum Draufsitzen und lauter Musik.«

»Das habe ich schon mal gesehen.«

»Gut. Halb zehn.«

Das Karussell drehte sich auch spät am Abend noch langsam. Aus den betagten Lautsprechern dröhnte der Disneysong »It's a Small World«. Ein paar Kleinkinder und ihre Mütter hielten sich an den Stangen fest, die mitten durch die roten und gelben Ponys verliefen. An einem Stand in der Nähe wurden Zuckerwatte und Limo verkauft. Ein paar Jugendliche lungerten herum, rauchten und versuchten, cool zu wirken.

Nachdem er sich gründlich umgesehen hatte, kam Woods Boone zu dem Schluss, dass keine Gefahr drohte. »Ich warte da drüben«, sagte er und deutete auf die hohe Bronzestatue eines längst vergessenen Kriegshelden. »Ihr werdet mich gar nicht sehen.«

»Mach dir um mich keine Sorgen«, sagte Theo. Er fühlte sich absolut sicher. Der Park war hell erleuchtet und voller Menschen.

Zehn Minuten später tauchten Julio und Bobby Escobar aus der Dunkelheit auf. Sie sahen Theo, bevor er sie entdeckte. Bobby war extrem nervös und wollte nicht riskieren, dass er einem Polizisten auffiel. Deswegen gingen sie zum anderen Ende der Grünanlage und setzten sich auf die Stufen eines Pavillons. Seinen Vater konnte Theo nicht sehen, aber er war sicher, dass er sie im Auge behielt.

Er fragte Bobby, ob er in der Arbeit gewesen war, und erklärte, dass er mit seinem Vater auf dem Creek Course Golf gespielt hatte. Nein, Bobby hatte nicht gearbeitet, weil er damit beschäftigt gewesen war, den Cops aus dem Weg zu gehen. Damit waren sie beim Thema, und Theo nutzte die Gelegenheit. Er erklärte Bobby auf Englisch, dass er die Möglichkeit hatte, sein Leben zu verändern. Statt weiter als Illegaler sein Dasein zu fristen, konnte er eine Aufenthaltserlaubnis beantragen, wenn sich jemand für ihn verbürgte.

Julio übersetzte das ins Spanische. Theo verstand nur wenig davon.

Er erklärte, dass ihm seine Eltern eine einmalige

Chance boten. Eine anständige Wohnung bei Verwandten, die Aussicht auf einen besseren Job und ein Schnellverfahren, um seine Papiere in Ordnung zu bringen. Kein Versteckspiel mehr mit der Polizei. Keine Angst davor, abgeschoben zu werden.

Julio übersetzte ins Spanische. Bobbys Gesicht war wie versteinert, er verzog keine Miene.

Da keine Reaktion kam, redete Theo weiter, um keine Pause entstehen zu lassen. Bobby sah nämlich aus, als wollte er jeden Augenblick weglaufen. »Erklär ihm, dass er ein sehr wichtiger Zeuge in dem Mordprozess ist«, sagte Theo zu Julio. »Es ist absolut richtig und wichtig, dass er zum Gericht geht und allen erzählt, was er an dem Tag damals gesehen hat.«

Julio dolmetschte. Bobby nickte. Das hatte er schon gehört. Er sagte etwas, das Julio übersetzte. »Er will sich nicht einmischen. Der Prozess geht ihn nichts an.«

Ein Streifenwagen hielt am Rand der Grünanlage, nicht in der Nähe des Pavillons, aber deutlich sichtbar. Bobby beobachtete ihn verängstigt, als hätte man ihn schließlich doch erwischt. Er flüsterte Julio etwas zu, der sofort antwortete.

»Die Polizei ist nicht hinter Bobby her«, erklärte Theo. »Sag ihm, er soll sich nicht aufregen.«

Die beiden Polizisten stiegen aus dem Auto und gingen auf das Karussell in der Mitte des Parks zu. »Seht ihr«, sagte Theo. »Der Dicke ist Ramsey Ross. Der schreibt nur Strafzettel. Den anderen kenne ich nicht. Die interessieren sich überhaupt nicht für uns.«

Julio erklärte das auf Spanisch, und Bobby atmete auf.

»Wo übernachtet er heute?«, erkundigte sich Theo.

»Das weiß ich nicht. Er hat gefragt, ob er in der Obdachlosenunterkunft bleiben kann, aber da ist kein Platz.«

»Er kann mit zu uns kommen. Wir haben ein Gästezimmer. Du auch. Wir machen eine Pyjamaparty. Mein Dad kauft uns unterwegs Pizza. Gehen wir.«

Um Mitternacht hatten die drei Jungen das Fernsehzimmer mit Beschlag belegt und spielten ein Videospiel, bei dem sie lautstark den Bildschirm anbrüllten. Kissen und Decken lagen im Raum verstreut. Zwei große Pizzakartons enthielten nur noch traurige Überreste. Judge kaute an einem Randstück.

Ab und zu warfen Marcella und Woods Boone einen Blick ins Zimmer. Sie amüsierten sich darüber, wie entschlossen Theo war, Spanisch zu sprechen, obwohl er mit Julio und Bobby nicht mithalten konnte. Trotzdem gab er nicht auf.

Sie hatten sich noch mehr Kinder gewünscht, aber es hatte nicht geklappt. Manchmal mussten sie allerdings zugeben, dass Theo mehr als genug war.

Einundzwanzig

Richter Gantry wartete, bis es dunkel war, bevor er am frühen Sonntagabend einen langen Spaziergang unternahm. Er wohnte nur ein paar hundert Meter vom Gericht entfernt in einem alten Haus, das seinem Großvater gehört hatte, der selbst ein hervorragender Richter gewesen war, und wanderte oft am frühen Morgen oder späten Abend durch die Straßen der Innenstadt von Strattenburg. An diesem Abend brauchte er frische Luft und Zeit zum Nachdenken. Der Duffy-Prozess hatte ihn das ganze Wochenende über beschäftigt. Stundenlang hatte er in alten Gesetzbüchern nach einer Antwort gesucht, die er bisher nicht gefunden hatte. Er war hin- und hergerissen. Warum sollte er einen vorschriftsgemäßen Prozess unterbrechen? Warum sollte er den Prozess für fehlerhaft erklären, wenn alles seine Ordnung hatte? Es gab keinen Regelverstoß. Keine Verletzung ethischer Grundsätze. Nichts. Da der Staatsanwalt ebenso kompetent war wie der Verteidiger, war die Verhandlung sogar besonders glattgelaufen.

Bei seinen Recherchen war er auf keinen vergleichbaren Fall gestoßen.

In der Kanzlei Boone & Boone brannte Licht. Wie versprochen trat Richter Gantry um 19.30 Uhr auf die kleine Veranda und klopfte an die Tür.

Marcella Boone öffnete. »Guten Abend, Henry. Komm rein.«

»Guten Abend, Marcella. In der Kanzlei war ich bestimmt seit zwanzig Jahren nicht mehr.«

»Dann wird es aber Zeit.« Damit schloss sie die Tür hinter ihm.

Richter Gantry war nicht der Einzige, der am frühen Abend einen flotten Spaziergang unternahm. Ein Mann namens Paco war ebenfalls unterwegs. Paco trug einen dunklen Jogginganzug und Laufschuhe und hatte ein Funkgerät. Er hielt sich in sicherem Abstand, und da dem Richter gar nicht der Gedanke kam, er könnte beschattet werden, war er leicht zu verfolgen. So wanderten sie durch die Innenstadt von Strattenburg: der eine Mann so tief in ernste Gedanken versunken, dass er seine Umgebung gar nicht wahrnahm, und der andere, der ihn nicht aus den Augen ließ, hundert Meter hinter ihm, während die Schatten länger wurden und es schließlich dämmerte.

Als Henry Gantry nach Einbruch der Dunkelheit die Kanzlei Boone & Boone betrat, joggte Paco an dem Gebäude vorbei, schrieb sich Namen und Hausnummer auf und lief weiter, bis er um die nächste Ecke war. Dann drückte er einen Knopf an seinem Funkgerät. »Er ist drinnen, bei den Boones.«

»Okay. Ich bin ganz in der Nähe.« Das war Omar Cheepe.

Wenige Augenblicke später sammelte Cheepe Paco auf, und sie bogen in die Park Street ein. Sie passierten das Gebäude, in dem sich die Kanzlei befand, und parkten unauffällig ein ganzes Stück weiter. Cheepe schaltete das Licht aus, stellte den Motor ab und öffnete das Fenster, um eine Zigarette zu rauchen. »Hast du ihn reingehen sehen?«

»Nein«, erwiderte Paco. »Aber ich habe gesehen, wie er auf das Grundstück eingebogen ist. Er muss da drin sein. Ansonsten ist hier alles dicht.«

»Sehr merkwürdig.«

Es war Sonntagabend, und die anderen Bürogebäude waren dunkel und verlassen. Nur in der Kanzlei der Boones regte sich Leben. Im Erdgeschoss schienen sämtliche Lichter zu brennen.

»Was die wohl machen?«, fragte Paco.

»Weiß ich auch nicht so genau. Die Boones waren am Freitag bei Gantry im Büro, die ganze Familie, was extrem merkwürdig ist, weil er so viel zu tun hatte. Die beiden sind nicht auf Strafrecht spezialisiert. Er setzt Verträge auf, und sie befasst sich mit Scheidungen, die haben also keinen Grund, mitten in einem Mordprozess in Gantrys Büro zu platzen. Und das mit dem Jungen verstehe ich gleich gar nicht. Wieso nehmen die Eltern das Kind aus der Schule und gehen mit ihm zu Gantry? Der Bursche hat sich die ganze Woche in der Verhandlung rumgetrieben und im Gericht herumgeschnüffelt.«

»Du meinst diesen Theo?«

»Ja. Der Junge hält sich für einen Juristen. Kennt jeden Polizisten, Richter und Justizangestellten. Hängt ständig in Verhandlungen herum, versteht wahrscheinlich mehr von Recht als die meisten Anwälte. Er und Gantry sind dicke Freunde. Da geht der mit seinen Eltern zu Gantry, und plötzlich beschließt der Richter, am Samstag nicht verhandeln zu lassen, obwohl er das die ganze Woche über angekündigt hat. Da läuft irgendwas, Paco. Und zwar nicht zu unseren Gunsten.«

»Hast du mit Nance und Mr. Duffy geredet?«

»Nein, noch nicht. Ich sage dir, was wir tun werden. Am liebsten würde ich dich hinschicken, damit du das Haus aus der Nähe erkundest und herausfindest, wer alles da ist, aber das ist zu riskant. Wenn sie dich sehen, werden sie misstrauisch, brechen die Aktion ab und rufen vielleicht sogar die Polizei. Immerhin ist Richter Gantry dabei. Das könnte die Dinge verkomplizieren. Ich habe einen besseren Plan. Ich rufe Gus an, der soll uns den Van bringen. Den können wir in der Nähe des Hauses parken. Wenn sie rauskommen, machen wir Fotos. Ich will wissen, wer da drin ist.«

»Auf wen tippst du denn?«

»Keine Ahnung, Paco, aber ich wette, die Boones und Gantry haben sich nicht zum Kartenspielen getroffen. Da läuft was, und das gefällt mir gar nicht.«

Richter Gantry ging zur Bibliothek, wo bereits Mr. Boone, Ike und Theo warteten. Der lange Tisch, der den Raum beherrschte, war mit Büchern, Karten und Notizblöcken bedeckt. Es sah nach hektischer Aktivität aus. Alle schüttelten sich die Hände und begrüßten einander. Es wurden ein paar belanglose Bemerkungen über das Wetter ausgetauscht, aber angesichts der wichtigen Angelegenheiten, die zu besprechen waren, dauerte der Smalltalk nicht lang.

»Ich muss ja wohl nicht erwähnen, dass dieses Treffen inoffiziell ist«, sagte Richter Gantry, als alle saßen. »Da keiner von euch mit dem Fall zu tun hat, tun wir nichts Unrechtes. Trotzdem könnte es eine Menge Fragen aufwerfen, wenn bekannt wird, dass ich hier war. Verstanden?«

»Natürlich, Henry«, nickte Mrs. Boone.

»Alles klar«, sagte Ike.

»Kein Wort«, versprach Mr. Boone.

»Ja, Sir«, sagte Theo.

»Gut. Ihr wollt mir also etwas zeigen?«

Die drei erwachsenen Boones sahen Theo an, der sofort aufsprang. Sein Laptop stand vor ihm auf dem Tisch. Er berührte eine Taste, und auf dem Breitwand-Whiteboard am Ende des Raumes erschien ein großes Foto. Theo deutete mit einem Laserpointer auf das Bild. »Das hier ist eine Luftaufnahme vom sechsten Fairway auf dem Creek Course. Da drüben ist das Haus der Duffys. Dort in den Bäumen am Dogleg hat der Zeuge gesessen und Mittagspause gemacht.« Er betätigte eine weitere Taste. »Das ist ein Foto, das wir gestern Morgen auf dem Golfplatz aufgenommen haben. Der Zeuge hat auf diesen Bohlen am ausgetrockneten Bachbett gesessen, wo er nicht zu sehen war. Jedoch«, – noch eine Taste, noch ein Foto – »hatte der Zeuge, wie Sie sehen, freie Sicht auf die Häuser auf der anderen Seite des Fairways, die etwa hundert Meter entfernt waren.«

»Und du weißt sicher, dass sich der Zeuge genau dort aufgehalten hat?«

»Ja, Sir.«

»Kannst du die Uhrzeit rekonstruieren?«

»Ja, Euer Ehren.«

»Du brauchst mich hier nicht mit ›Euer Ehren‹ anzureden, Theo.«

»Okay.« Noch ein Foto, eine Luftaufnahme. Theo deutete mit dem Laserpointer auf ein Gebäude. »Das ist der Geräteschuppen. Wie Sie sehen, liegt er ganz in der Nähe vom sechsten Fairway, wenn man durch den Wald geht. Die Mittagspause fing um halb zwölf an. Punkt halb zwölf, weil der Platzwart streng durchgreift und von seinen Arbeitern erwartet, dass sie sich um halb zwölf melden, schnell etwas essen und um zwölf wieder bei der Arbeit sind. Unser Zeuge setzte sich immer ab, um allein zu essen, zu beten und sich ein Foto seiner Familie anzusehen. Er hat großes Heimweh. Wie Sie erkennen können, sind es nur ein paar Schritte durch den Wald zu seinem Lieblingsplatz. Er meint, die Mittagspause wäre halb vorbei gewesen, als er den Mann ins Haus der Duffys gehen sah.«

»So gegen 11.45 Uhr?«, erkundigte sich Richter Gantry.

»Ja, Sir. Und wie Sie wissen, hat der Pathologe den Todeszeitpunkt auf 11.45 Uhr geschätzt.«

»Ich weiß. Und der Mann, der das Haus betreten hat, ist wieder herausgekommen, bevor die Mittagspause vorbei war?«

»Ja, Sir. Der Zeuge sagt, er geht normalerweise ein paar Minuten vor zwölf zurück zum Geräteschuppen. An dem bewussten Tag hat er den Mann aus dem Haus kommen sehen, bevor seine Mittagspause zu Ende war. Seiner Schätzung nach war der Mann keine zehn Minuten im Haus.«

»Ich habe eine wichtige Frage«, sagte der Richter. »Hat dieser Zeuge den Mann mit einer Tasche, einem Sack oder sonst etwas aus dem Haus kommen sehen, worin er die Beute hätte transportieren können? Den Aussagen zufolge wurden mehrere Objekte gestohlen: zwei kleine Handfeuerwaffen, Schmuck von Mrs. Duffy und mindestens drei teure Uhren von Mr. Duffy. Hat der Zeuge beobachtet, wie irgendwas davon weggeschafft wurde?«

»Das glaube ich nicht«, erwiderte Theo. »Ich habe stundenlang darüber nachgedacht. Ich vermute, Mr. Duffy hat die Waffen in seinen Gürtel gesteckt, den Pullover darüber gezogen und alles andere in seinen Taschen verstaut.«

»Was für Waffen waren das denn?«, erkundigte sich Mr. Boone.

»Eine Neun-Millimeter und ein kurzläufiger .38er-Revolver«, erwiderte Richter Gantry. »Die könnte man leicht unter einem Pullover verstecken.«

»Und Uhren und Schmuck?«

»Das waren ein paar Ringe und Halsketten und drei Uhren mit Lederarmband. So was passt bei einer Freizeithose locker in die vorderen Taschen.«

»Und das Zeug ist nie gefunden worden?«, fragte Mrs. Boone.

»Nein.«

»Wahrscheinlich liegt es auf dem Grund eines Sees da draußen auf dem Golfplatz«, bemerkte Ike mit einem zynischen Grinsen.

»Da hast du wohl recht«, sagte Richter Gantry zur allgemeinen Überraschung. Der unerschütterliche Unparteiische, der stets neutral blieb, hatte seine Karten auf den Tisch gelegt. Er hielt Pete Duffy also auch für schuldig.

»Was ist mit den Handschuhen?«, erkundigte er sich.

Theo griff nach einem kleinen braunen Karton, stellte ihn auf den Tisch und holte den Ziplock-Beutel mit den beiden Golfhandschuhen heraus. Er legte ihn vor Richter Gantry auf den Tisch und starrte das Beweismittel ein oder zwei Sekunden lang an, als wäre es ein blutiges Schlachtermesser. Dann betätigte er eine Taste, und ein weiteres Foto erschien auf dem Bildschirm. »Das ist der Abschlag am vierzehnten Loch auf dem South Nine. Der Zeuge reparierte gerade eine Rasensprengerdüse hier oben, auf der kleinen Anhöhe über dem Abschlag, als er sah, wie der Mann, derselbe Mann, diese beiden Handschuhe aus seiner Golftasche holte und in den Müll warf.«

»Eine Frage«, unterbrach Richter Gantry. »Hat der Mann andere Handschuhe getragen, als er die hier in den Müll geworfen hat?«

Den Boones wurde klar, dass der Richter jede Einzelheit der Schilderung messerscharf analysiert hatte.

»Die Frage habe ich ihm nie gestellt«, gab Theo zu.

»Wahrscheinlich schon«, meinte Woods. »Viele Golfer haben Ersatzhandschuhe in der Tasche.«

»Warum ist das wichtig?«, fragte Mrs. Boone.

»Vielleicht ist es das gar nicht. Im Augenblick bin ich nur sehr neugierig, Marcella.«

Eine lange Pause trat ein. Alle schienen dasselbe zu denken, aber niemand wollte es aussprechen.

»Richter Gantry, Sie können den Zeugen doch selbst fragen«, meinte Theo schließlich.

»Er ist also hier?«

»Ja, Sir.«

»In meinem Büro, Henry«, ergänzte Mrs. Boone. »Er wird jetzt von der Kanzlei Boone vertreten.«

»Auch von Theo?«, fragte Richter Gantry, was alle zum Lachen brachte.

»Henry, du musst uns versprechen, dass er nicht verhaftet oder irgendwie belangt wird«, verlangte Mr. Boone.

»Ihr habt mein Wort«, erwiderte Richter Gantry.

Bobby Escobar saß dem Richter gegenüber am Tisch. Links von ihm hatte Julio, sein Cousin und Dolmetscher, Platz genommen, rechts von ihm seine Tante Carola.

Es war das reinste Familientreffen: Hector und Rita sahen nämlich in Mrs. Boones Büro fern.

Theo begann seine direkte Befragung mit der Luftaufnahme vom sechsten Fairway auf dem Creek Course. Mit dem roten Laserlicht bezeichneten er und Bobby genau die Stelle, wo dieser Mittagspause gemacht hatte. Dann wechselte Theo das Foto, stellte gezielte Fragen und ließ Julio ausreichend Zeit, sie zu übersetzen. Die Aussage entwickelte sich zu einer schlüssigen Schilderung.

Theos Eltern und Ike lehnten sich zurück und sahen voller Stolz zu, hielten sich aber bereit, um jederzeit eingreifen zu können, falls ihm ein Fehler unterlief.

Als die Fakten geklärt waren und Bobby sich als zuverlässiger Zeuge erwiesen hatte, kam Richter Gantry auf den Punkt. »Kann er den Mann identifizieren?«

Da Bobby Pete Duffy nie begegnet war, konnte er nicht sagen, ob er der Mann war, der ins Haus gegangen war. Er wusste jedoch, dass der Mann einen schwarzen Pullover, eine hellbraune Freizeithose und eine rotbraune Golfmütze getragen hatte, genau wie Pete Duffy zum Tatzeitpunkt. Theo ließ eine Reihe Fotos von Pete Duffy durchlaufen, die alle aus der Zeitung stammten. Bobby konnte nur sagen, dass der Mann auf den Bildern definitiv so ähnlich aussah wie der, den er beobachtet hatte. Auf einen weiteren Tastendruck von Theo wurden drei kurze Videosequenzen abgespielt, die er aneinandergefügt hatte und die Pete Duffy zeigten, wie er das Gericht betrat oder wieder herauskam. Auch diesmal war Bobby fast sicher, dass es sich um den betreffenden Mann handelte.

Und dann platzte der Knoten. Die Anklage hatte als Beweismittel zweiundzwanzig Fotos des Tatorts, des Hauses und seiner Umgebung vorgelegt. Eines der Fotos, Beweismittel Nummer fünfzehn, war von einem Punkt nah am Rand des Fairways aufgenommen. Es zeigte die Rückseite von Duffys Haus, die Terrasse, die Fenster, die Terrassentür, und ganz rechts standen zwei uniformierte Polizeibeamte neben einem Golfcart. Im Golfcart saß Pete Duffy, der benommen und verstört wirkte. Das Foto war offenbar nur wenige Minuten, nachdem er vom Clubhaus nach Hause gerast war, entstanden.

Theo hatte sich die Aufnahme auf der Website der Gerichtsschreiber besorgt. Falls Richter Gantry ihn fragte, woher er es hatte, wollte er ihn darauf hinweisen, dass es in einer öffentlichen Verhandlung als Beweismittel vorgelegt worden war und folglich kaum als geheim gelten konnte.

Aber Richter Gantry sagte nichts. Er hatte das Foto hundertmal gesehen und blieb völlig unbeeindruckt. Bobby dagegen bekam die Aufnahme zum ersten Mal zu Gesicht und fing sofort an, aufgeregt auf Julio einzureden.

»Das ist er!« Julio zeigte selbst mit dem Finger. »Der Mann im Cart. Das ist er!«

»Euer Ehren, ich gebe zu Protokoll, dass der Zeuge soeben den Angeklagten Pete Duffy identifiziert hat.«

»Volltreffer, Theo«, sagte Gantry.

Zweiundzwanzig

Am Montagmorgen versammelten sich die Zuschauer zum letzten Akt des Dramas. Die Geschworenen trafen mit feierlicher Miene ein und waren offenbar fest entschlossen, ihren Auftrag zu Ende zu führen. Die Vertreter von Staatsanwaltschaft und Verteidigung trugen ihre feinsten Anzüge und schienen darauf zu brennen, endlich den Spruch der Geschworenen zu hören. Der Angeklagte selbst wirkte ausgeruht und zuversichtlich. Justizangestellte und Gerichtsdiener wuselten mit der üblichen morgendlichen Energie im Saal umher. Doch als alle um zehn nach neun auf ihren Plätzen saßen, schien der ganze Saal erwartungsvoll die Luft anzuhalten. Alle erhoben sich, als Richter Gantry mit wehender Robe in den Saal rauschte.

»Bitte nehmen Sie Platz«, sagte er ohne ein Lächeln. Er war unzufrieden und wirkte sehr müde.

Er sah sich im Sitzungssaal um, nickte der Gerichtsschreiberin zu, nahm die Geschworenen zur Kenntnis, warf einen Blick in die Menge und vor allem in die dritte Reihe rechts. Dort saß Theo Boone zwischen seinem Vater und seinem Onkel und schwänzte, zumindest für den Augenblick, die Schule. Richter Gantry sah Theo an, und ihre Blicke begegneten sich. Dann beugte sich der Richter ein paar Zentimeter tiefer über das Mikrofon. Er räusperte sich und sprach die Worte, mit denen keiner gerechnet hatte.

»Guten Morgen, meine Damen und Herren. Zu diesem Zeitpunkt wären im Verfahren gegen Mr. Pete Duffy eigentlich Anklage und Verteidigung mit ihren Schlussplädoyers an der Reihe. Sie werden diese jedoch nicht halten. Aus Gründen, die ich im Augenblick nicht näher erläutern will, erkläre ich das Verfahren für fehlerhaft.«

Den Menschen im Saal blieb die Luft weg. Überall waren überraschte Gesichter zu sehen. Theo behielt Pete Duffy im Auge, der sich mit entsetztem Gesicht zu Clifford Nance umdrehte. Die Juristen auf beiden Seiten sahen aus, als hätten sie eine kalte Dusche abbekommen, und konnten offenkundig noch gar nicht fassen, was sie soeben gehört hatten. In der ersten Reihe, unmittelbar hinter dem Tisch der Verteidigung, drehte sich Omar Cheepe um und sah Theo, der zwei Reihen hinter ihm saß, direkt an. Er starrte nicht, sein Blick war nicht einmal besonders bedrohlich, aber der Zeitpunkt sagte alles: *Das warst du, ich weiß es. Mit dir bin ich noch nicht fertig.*

Die Geschworenen wussten nicht so recht, wie es weitergehen sollte. Richter Gantry erklärte es ihnen: »Meine Damen und Herren Geschworene, wenn ein Verfahren für fehlerhaft erklärt wird, ist es beendet. Die Anklage wird zurückgenommen, allerdings nur vorläufig. Sie wird in Kürze erneut erhoben werden, und es wird ein neues Verfahren geben, aber mit anderen Geschworenen. In einem Strafprozess liegt es ausschließlich im Ermessen des Richters, ob er ein Verfahren für fehlerhaft erklärt, wenn er davon überzeugt ist, dass Umstände vorliegen, die den Urteilsspruch beeinträchtigen könnten. Das ist hier der Fall. Danke für Ihre Dienste. Sie spielen in unserem Rechtssystem eine wichtige Rolle. Hiermit sind Sie entlassen.«

Die Geschworenen waren völlig verwirrt, aber einige begriffen allmählich, dass sie ihre Bürgerpflicht damit erfüllt hatten. Ein Gerichtsdiener bugsierte sie durch eine Seitentür hinaus. Während sie davontrotteten, beobachtete Theo voller Bewunderung Richter Gantry. In diesem Augenblick beschloss er, dass er, Theo, ein großer Richter werden wollte, genau wie sein Vorbild dort oben am Richtertisch. Ein Richter, der das Gesetz in- und auswendig kannte und an Fairness glaubte, vor allem aber ein Richter, der auch unangenehme Entscheidungen fällen konnte.

»Ich hab's dir ja gesagt«, flüsterte Ike. Er war davon überzeugt gewesen, dass das Verfahren für fehlerhaft erklärt werden würde, aber das galt auch für die anderen Boones.

Die Geschworenen gingen, ansonsten rührte sich niemand. Die Leute waren wie vor den Kopf geschlagen und warteten auf weitere Informationen. Jack Hogan und Clifford Nance erhoben sich gleichzeitig und sahen Richter Gantry an.

»Meine Herren, im Augenblick werde ich keine Erklärung für meine Handlungsweise abgeben«, sagte dieser, bevor sich die beiden äußern konnten. »Kommen Sie bitte morgen um zehn in mein Büro, dann werde ich die Gründe erläutern. Ich möchte, dass so schnell wie möglich wieder Anklage erhoben wird. Neuer Verhandlungstermin ist die dritte Woche im Juni. Der Angeklagte bleibt gegen Kaution und mit denselben Auflagen auf freiem Fuß. Die Verhandlung wird vertagt.« Er schlug mit seinem Hammer auf den Richtertisch, stand auf und verschwand.

Nachdem Richter und Geschworene den Saal verlassen hatten, blieb den anderen nichts anderes übrig, als ihrem Beispiel zu folgen. Allmählich erhob sich die Menge und schob sich zur Tür.

»Ab in die Schule«, sagte Mr. Boone streng zu Theo.

Vor dem Gericht schloss Theo sein Fahrrad auf.

»Kommst du heute Nachmittag vorbei?«, fragte Ike.

»Natürlich. Heute ist doch Montag.«

»Wir haben einiges zu besprechen. Das war eine lange Woche.«

»Kann man wohl sagen.«

Ganz in der Nähe, am Haupteingang, wurde es laut, weil alle so schnell wie möglich nach draußen wollten. Pete Duffy, der von seinen Anwälten und anderen umringt wurde, rauschte ab, während die Reporter ihm Fragen hinterherschrien. Sie bekamen keine Antwort. Omar Cheepe bildete die Nachhut und schubste sogar einen der Journalisten. Er wollte schon seinem Auftraggeber folgen, als er Theo sah, der das Rad zwischen die Beine genommen hatte und zusammen mit Ike das Drama beobachtete. Cheepe erstarrte und schien für den Bruchteil einer Sekunde unentschlossen. Sollte er Mr. Duffy nachlaufen, um ihn zu beschützen, oder sollte er zu Theo gehen und ihm ein bisschen Angst einjagen?

Theo und Cheepe sahen sich aus fünfzehn Metern Entfernung an. Dann machte Cheepe kehrt und ging davon. Ike schien von der Sache nichts mitbekommen zu haben.

Theo hatte es nun ebenfalls eilig. Er fuhr zur Schule, und als das Gericht hinter ihm zurückblieb, fiel die Anspannung von ihm ab. Er konnte kaum glauben, dass Montag war. So viel war in den letzten sieben Tagen geschehen. Der größte Prozess in der Geschichte der Stadt hatte begonnen und war schon wieder zu Ende – und dennoch nicht abgeschlossen. Dank Theo war ein Fehlurteil verhindert worden. Der Gerechtigkeit war Genüge getan, zumindest für den Augenblick. Er würde sich eine Pause gönnen, aber es würde nicht lange dauern, bis er sich im Geheimen mit Bobby Escobar und Julio traf. Das stand für ihn fest. Theo würde Bobby coachen, ihn auf die drei Stunden vorbereiten, die er im Juni im Zeugenstand verbringen würde.

Doch jetzt war auch noch dieser unheimliche Omar

im Spiel. Wie viel wussten er, sein Auftraggeber und Clifford Nance wirklich? Fragen über Fragen. Theo war verwirrt, fand das Ganze aber spannend.

Dann fiel ihm April ein. Morgen, am Dienstag, würde der Richter entscheiden, bei welchem Elternteil sie leben musste. Ihre Anwesenheit vor Gericht war nicht nötig, aber sie war ohnehin mit den Nerven am Ende. Theo musste sich Zeit für sie nehmen. Er beschloss, sich in der Mittagspause abzusetzen und mit ihr zu reden.

Woody fiel ihm ein, dessen Bruder im Gefängnis saß und dort vermutlich auch bleiben würde.

Er stellte sein Fahrrad an der Fahnenstange ab und spazierte mitten in der ersten Stunde in die Schule. Er hatte eine schriftliche Entschuldigung seiner Mutter dabei, die er bei Miss Gloria im Sekretariat abgab. Dabei fiel ihm auf, dass Miss Gloria nicht lächelte, was sie sonst eigentlich immer tat.

»Setz dich, Theo«, sagte sie und deutete mit dem Kopf auf einen Holzstuhl neben ihrem Schreibtisch.

Wieso denn das? Er kam doch nur später.

»Wie war es bei der Beerdigung?«, fragte sie ernst.

Eine Pause, während Theo fieberhaft überlegte, wovon sie sprach. »Wie bitte?«

»Die Beerdigung letzten Freitag, zu der dich dein Onkel …«

»Ach, die Beerdigung. Super. Tolle Sache.«

Sie blickte sich nervös um und legte den Zeigefinger auf die Lippen. *Leise,* sollte das heißen. Die Türen zu den benachbarten Büros standen offen.

»Theo.« Sie flüsterte praktisch. »Mein Bruder ist letzte Nacht von der Polizei angehalten worden. Alkohol am Steuer. Er sitzt im Gefängnis.« Sie vergewisserte sich, ob sie auch wirklich allein waren.

»Das tut mir leid.« Jetzt wusste Theo, woher der Wind wehte.

»Er ist kein Säufer. Er ist ein erwachsener Mann mit Frau, Kindern und einer festen Stelle. Er hatte noch nie Ärger mit der Polizei, und wir wissen gar nicht, was wir tun sollen.«

»Wie hoch war sein Blutalkoholgehalt?«

»Sein was?«

»Wie viel Promille?«

»Ach so. 0,9, kann das sein?«

»Ja. Der Grenzwert ist 0,8, das gibt also Ärger. Ersttäter?«

»Um Himmels willen, Theo. Er ist doch kein Säufer. Er hatte nur zwei Gläser Wein getrunken.«

Zwei Gläser. Immer nur zwei Gläser. Egal, wie besoffen, rührselig oder aggressiv die Leute waren, sie hatten nie mehr als zwei Gläser getrunken.

»Der Polizeibeamte hat gesagt, er kann für zehn Tage ins Gefängnis kommen«, fuhr sie fort. »Die Sache ist so peinlich.«

»Welcher Polizeibeamte?«, fragte Theo.

»Wie soll ich das denn wissen?«

»Manche Polizisten jagen den Leuten gern Angst ein. Ihr Bruder bekommt keine zehn Tage. Er muss eine Geldbuße von sechshundert Dollar zahlen, seinen Führerschein für sechs Monate abgeben, Fahrstunden nehmen, und in einem Jahr kann die Eintragung gelöscht werden. War er die ganze Nacht im Gefängnis?«

»Ja. Ich kann gar nicht glauben …«

»Dann kommt er nicht wieder dorthin. Schreiben Sie sich diesen Namen auf.« Sie hielt bereits einen Stift in der Hand. »Taylor Baskin«, sagte Theo. »Der hat sich auf Säufer spezialisiert …«

»Er ist kein Säufer!«, protestierte sie, etwas zu laut. Beide sahen sich um, ob sie jemand gehört hatte. Niemand.

»Tut mir leid. Taylor Baskin hat sich auf Alkohol am Steuer spezialisiert. Ihr Bruder soll ihn anrufen.«

Miss Gloria schrieb fleißig mit.

»Jetzt muss ich in den Unterricht«, sagte Theo.

»Danke, Theo. Bitte erzähl niemandem was davon.«

»Natürlich nicht. Kann ich gehen?«

»Oh, ja, bitte. Und vielen Dank, Theo.«

Er flitzte aus dem Büro. Zurück blieb wieder einmal eine zufriedene Mandantin.